SE VENDE ARTEFACTO PARA PELAR MANZANA

Vol. 7 Sexualidad de la Pantera Rosa

Seix Barral Biblioteca Breve

SE VENDE ARTEFACTO PARA PELAR MANZANA

Vol. 7 Sexualidad de la Pantera Rosa

Efraim Medina Reyes

Diseño de la colección: Josep Bagà Associats

Foto de la cubierta: Claudia Sandoval
Ilustración de la cubierta: Nathalia Ruiz
Fotos de portadillas: Marta Oliviero
Diseño de portadillas: Pierossi, Giacomo Tomasini
& Giovanni Nicola Roca

Primera edición: agosto de 2004

© 2004, Efraim Medina Reyes
fracasolimitada@yahoo.com
www.fracasolimitada.com
© 2004, Editorial Planeta Colombiana S. A.
Calle 73 No. 7-60, Bogotá

COLOMBIA: www.editorialplaneta.com.co
VENEZUELA: www.editorialplaneta.com.ve
ECUADOR: www.editorialplaneta.com.ec

ISBN: 958-42-1027-0

Impreso por Printer Colombiana S. A.

Blues 27

Cuando das más de lo que recibes
arriesgas el pellejo y luego no debes
llamarte a engaños
Esto no significa que no debas amar
no es una guía actualizada de suicidios
es sólo alguien que aprendió a ir despacio
Confiar es el peor crimen y el camino
más fácil hacia el infierno
Esto no significa que no puedas confiar
es sólo alguien a quien le partieron
el corazón demasiadas veces en una
misma noche
Amar y confiar son pasiones humanas
de la misma índole y no soy nadie para
decirte lo que debes hacer
sólo un tipo jodido que aprendió a ir despacio
a no hacer más de lo necesario.

Canciones aún más mediocres
Fracaso Records.
Ciudad Inmóvil. 1999

Primera Parte

NINFAS Y SIRVIENTAS

1

Estoy viendo una película en la tele. Mi cuñado va de un lado a otro de la sala, sólo lleva puesto un mugriento calzoncillo que está roto y deja al aire parte del trasero y las pelotas. Sé que está harto de mí, que ha estado reuniendo coraje para sacarse la bronca. Está borracho y se menea un poco o quizá sólo finge. Mi hermana y su hija están en el cuarto. Mi cuñado se para al lado mío y pregunta:

—¿Qué mierda de película es esa?

—*Gatopardo*.

—Todo el maldito tiempo estás allí —se rasca las pelotas, se mete el dedo en la nariz, se echa un pedo—. Es mi jodido aparato y nunca puedo verlo.

—¿Quieres que cambie de canal?

—¿Qué mierda quieres conmigo?

—Nada.

—¿QUÉ CULO QUIERES?

Mi hermana aparece y trata de calmarlo. Se hace el duro, aprieta los puños, hace fintas y dice que es un duro, el tipo más avispado que hay y nadie puede joderlo. Delon y la Cardinale recorren el viejo castillo: son tan lindos y limpios, hasta el polvo en las paredes es irreprochable. Delon la besa y siento un vacío, una distancia enorme. Mi cuñado se agarra las pelotas y suelta una seguidilla de pedos. Ella le dice que no he tenido suerte, que ya conseguiré algo, que no tengo a nadie más. Él dice que le tengo las pelotas hinchadas, que le chupo la sangre, que no puede ver la tele ni entrar al baño, que tiene que vivir aguantando la mierda. La niña se pone a chillar y mi hermana le echa la culpa y él me la echa a mí. Las sienes me palpitan. Voy al cuartico de atrás y meto mis cosas en una raída maleta. Ellos siguen discutiendo y la niña chilla sin parar. Apago la tele y paso entre ellos. Él ríe, dice que soy un caguetas, que moriré de hambre, que van a quemarme el trasero. Lo pienso un poco y digo no. La puerta se acerca hacia mí como una boca terrible, se abre, paso y se cierra un poco. La niña grita que no me vaya y mi hermana me pide esperar. Lo pienso con los dientes apretados y digo no, esta vez NO. Ellos siguen diciéndose cosas pero pronto estarán en la cama y la pasarán como nunca. No importa cuánto me quiera, es su mujer, está enamorada de ese tipo, tienen su casa, su tele, sus pedos. La noche es cálida y ajena. Mi mente se adapta a la situación y sopesa las opciones: son pocas y complicadas. En el paradero hay dos sujetos conversando. Me observan un instante y vuelven a lo suyo. No parecen preocupados, sólo hablan y esperan el autobús. Hablan de trabajo y mujeres, de lo malo que está el país y lo buenos que son sacudiendo muje-res. Fuman, hacen bromas, se cuentan chismes…

Pienso en los calzoncillos de mi cuñado, en sus pedos, en *Gatopardo*. Tal vez si le hubiera dado un buen golpe tendría mejor ánimo o quizá estaría peor: es un tipo alto y ancho, un luchador nato. Una vez le partió la cara a tres tipos en un bar. Mi oportunidad de ganarle era mínima y si algo necesito ahora es tener los huesos en orden. Bajo del autobús y camino hacia el edificio de F; es un descaro llegar a medianoche pero no tengo otra opción.

El ascensor es viejo y traquea un poco. El hombre que lo conduce también es viejo y traquea. Me mira con fastidio y dice:

—Es tarde, eh.

—Sí —digo—. Es tarde.

2

F dijo que podía quedarme unos días. *Hasta que me aburra de verte el fondillo* fueron sus palabras exactas. Sus hijos estaban de vacaciones en la Florida y ella se la pasaba trabajando; podía estar a mis anchas, el apartamento era mío. F se había casado, siendo apenas una adolescente, con un arquitecto. A los 22 ya tenía dos hijos, a los 23 se había separado y ahora, entrada ya en los 40, tenía una relación estable con otra mujer: su amante se llamaba Zeta, tenía 42 años, un hijo y dos divorcios en su haber. Zeta había amasado una pequeña fortuna con sus divorcios, tenía un anticuario y sabía pasarla. F era gerente de un banco y no le iba nada mal. Su apartamento quedaba en el centro histórico de Ciudad Inmóvil, era espacioso y lleno de luz. Zeta aparentaba mucha menos edad, era alta y delgada, con un rostro dulce y un cuerpo flexible. F es gorda, cuando hacemos el amor siento como si fuera un colchón de agua, su cara es linda como la de un monje tibetano. Como anda de pelea con Zeta me dice que si los hombres se tomaran en serio a una gorda estaría dispuesta a volver a casarse y llevar una vida normal. *Si encontrara alguien diferente* subraya con amargura. Me gustaría pensar que lo encuentra y oyen juntos aquella vieja canción de Iggy: *Olvida la báscula, baby / no tengo más exigencia que dos lindos agujeros / No vine por tus medidas / no construiré otro muro /no construiré otro ataúd / me bastan los*

*dos lindos agujeros entre tus piernas / ¿no te bastan a ti, baby?
/ Deberías ser la mujer de mis sueños / una chica apacible y
satisfecha.* Un bello sueño el de Iggy, pero si F cree que es
difícil encontrar un hombre aficionado a las gordas qué diría de buscar *una chica apacible y satisfecha*: no existe esa
chica, todas, por dulces que parezcan, tienen que encontrar-
le la comba al palo. Si las estrujas hueso por hueso quieren
que además las ames, si las amas piden orgasmos múltiples y
así hasta sacarte de quicio. A mí, en su lugar, me bastaría con
tener una como Zeta de perrito faldero. La pobre Zeta llamaba todo el tiempo. F no respondía el teléfono. Al principio lo cogí varias veces y me quedaba callado escuchándola.
Ella pensaba que era F. Su tono estaba quebrado por el insomnio y la angustia:

—Nena, nena, por favor, no cuelgues, no me hagas esto…
Mira, quizá la cagué pero te amo, nena. Ven para acá un
momento, anda pequeña, me arde, ya sabes cómo me arde
sin ti. Nena, no vayas a colgar, tengo una botella de…

Colgué. Estaba impresionado. Cuando uno escucha la
congoja ajena se le vienen malos recuerdos a la cabeza. Aquella voz no podía estar más rota. La pobre Zeta debía tener
pelos en el corazón… Una bella cuarentona hecha polvo
mientras la otra se hurga la crica y sonríe como si nada.

—¿Qué dijo?

—Que te ama.

F estaba fumando marihuana, sus ojos flotaban sobre
su cara como dos estrellas a la deriva, la comisura de sus
labios temblaba ligeramente.

—Eso dice quien quiere comerte y soplar, apenas des
chance te escupe. Sólo trata de imponer por fuerza su dolor,
su juego de amor herido. ¿Qué carajos me importa su amor?
Le dije: seamos amigas que se frotan, seamos leones marinos, escribamos poemas…

14

Soltó una risita. El teléfono estaba sonando otra vez. Lo cogí.

—Nena, nenita…

Colgué. No podía soportar esa voz.

—Habla con ella —le dije.

F negó con la cabeza. El teléfono sonaba como un pájaro demente en la noche solitaria, un pájaro ciego en un mundo invisible.

—Ya hablé suficiente —dijo F con una sonrisa hasta las orejas—. ¿Quieres un poco?

Dije no y ella apagó el cacho. El teléfono sonaba y sonaba. F estaba hablando sobre los leones marinos. Cogí el teléfono y colgué enseguida. Volvió a sonar. Lo cogí y lo dejé descolgado. Me parecía escuchar aquella voz miserable rogando. Subí seguido por F. Puse un casete de música barroca y nos acostamos. Su pelo era suave y su olor opaco. Nos acariciamos largamente (pensé mucho en los leones marinos). Cuando la tuve bien dura se la metí. Fue un polvo delicado: sin dolor, sin límite, sin besos, sin slogans. F me dejó tumbado en la cama y se metió en el baño. Después bajó a cocinar. Permanecí boca arriba mirando el cielo raso y soñando despierto con las ballenas jorobadas.

3

Como estaba lloviendo tuve que meterme en la biblioteca pública. El lugar es un antro fragante; hay mujeres armadas moviéndose de un lado a otro como si aquello fuera una cárcel de máxima seguridad. Los lectores meten la cara contra los libros y guardan un tenso silencio. Si alguien suspira por un bello pasaje o se echa un eructo, enseguida viene el ssshhissssss y alguna de las pistoleras se acerca para intimidar al supuesto culpable. Odio estar aquí, no podría leer dos líneas con gente uniformada cerca. Además, ¿qué rayos protegen? Los libros que hay son detritus: es una escueta sala de consulta para esmirriados escolares. En realidad la lectura no es mi fuerte pero odio esa clase de libros pomposos que jamás conducen al alma de nadie. Sólo palabras rellenas de ínfulas para que… ¿cómo podría llamarse a esa bola de pendejos que hacen de todo una pesquisa? ¿Existe un nombre especial para aquellos patos que al volar se cagan? Cuac-cuac. Antes que biblioteca esto es una morgue de libros sin riesgo, sin fragor ni desenfreno. Hechos a la medida de los zonzos profesores que los recetan a sus indefensos alumnos año tras año. Y justo aquí me cobijé de la lluvia como una cobarde rata. Ocupé sitio en una mesa solitaria sin sacar nada de las estanterías. Al rato una pistolera vino a interrogarme.

—Sólo quiero pensar —dije—. ¿No se permite?

—Este es un sitio de lectura, señor —dijo ella.

No me gustaba su aliento, había estado chupando morcilla. Miré sus ojos, debía tener el cerebro repleto de esas virutas con que se alimenta a los peces caseros. Quizá hasta leía esos libros. Glup. Otra pistolera se acercó a preguntar si había algún problema. La pistolera número uno me señaló con el hocico. Me levanté y traje un atlas. Ellas se alejaron cuchicheando. Afuera la lluvia arreciaba. Abrí el atlas, cerré los ojos y me pregunté si en Indochina las cosas irían tan mal.

—¡Maldito!

Abrí los ojos sobre un lugar en Australia. Los gritos venían de la sección de Historia del Pensamiento. Fui a ver qué pasaba. El jaleo estaba decayendo, se había formado un tumulto que las pistoleras trataban de aplacar. Me asomé desde prudente distancia. Una chica de pantalones cortos estaba hablando con la jefe de pistoleras, parecía fuera de sí. Otra pistolera tenía encañonado, al fondo de la sección, a un sujeto alto y bien vestido. El sujeto no parecía impresionado, tenía una serena cara de idiota y pequeños ojos de topo. Había visto a ese sujeto en alguna parte. Me acerqué un poco, la pistolera chupa morcilla me puso la mano en el pecho y me ordenó volver a mi sitio. Le dije que conocía al sujeto.

—¿Y eso qué?

—Escribió un libro —dije—. No tiene que encañonarlo, es un poeta.

—Vaya a su mesa o salga de aquí —dijo ella.

Miré a la chica de los cortos. Tenía una cara de lo más fea pero no cabía duda que su trasero podía sacarla de apuros. El abultado sexo se le marcaba en la desteñida tela; en medio estaba la ranura, larga y honda como una antigua sed. Me dio la impresión que podría meter mi brazo allí hasta el hombro y ella seguiría tan campante. Miré hacia el poeta y luego otra vez aquella ranura y supe lo que había pasado. Caminé de regreso hasta mi atlas y busqué un lugar lejano, un sitio más allá de Islandia, un lugar donde el aire fuera sólido, las ciudades transparentes, el mar más hondo que el cielo y las mujeres dieran el culo sin excusas ni condiciones. No lo encontré. Unos policías llegaron y sacaron al poeta, la chica los siguió acompañada por una de las pistoleras.

Media hora después el poeta estaba de vuelta, agité la mano y se acercó. Lo invité a sentarse. Nos presentamos. Le dije que había estado en una lectura suya y me gustaban sus poemas. Me confesó que no había podido resistir la tentación; su mujer lo había dejado por un marinero, la radio de su apartamento estaba averiada, no tenía tele y, para acabar de joder, habían despedido al ascensorista de su edificio quien hacía las veces de amigo y confidente. Juró que todavía le palpitaba la mano como cuando se retiene un pájaro y luego se deja escapar.

—Es como si aún la tuviera agarrada.

—Entiendo —dije con envidia.

—La carne es blanda y esa raja va hasta el otro lado de la vida, hasta la novena dimensión. ¡Qué raja, por Dios! Llevaba meses sin una erección de este calibre, podría hacer un agujero en la pared.

—¿Qué dijo la policía?

—Conozco al inspector. Regañó a la chica por vestirse así, me guiñó un ojo y eso fue todo. La chica se quedó allá, todos los policías le miraban la raja. Me sacaría un ojo con tal de hundírsela toda. ¡Qué raja tiene!

—SSHHIIISSSSSSSSSSS.

Me puse a mirar el atlas, de repente todas las siluetas de los países me parecían bultos rajados.

—Voy al baño —dije.

—También yo —dijo el poeta.

4

El mayor de los hijos de F estudiará cine y ella lo siente como un logro personal. El chico divagaba hacía tiempo entre el celuloide o las leyes, al final la madre impuso su criterio. De joven F quiso ser artista plástica y culpa a su padre por no haberlo logrado.

—Fue inflexible —dice—. Destruía mis dibujos y me castigaba.

—¿Y si tu hijo cambiara de idea?

—¿Por qué haría algo así?

—Quizá quiera ser ciclista.

—No seas estúpido —dice jalándome una oreja—. Eligió el cine porque le gusta.

—¿Y tu comida?

—Claro.

—Ese es el lío —dije.

—Eres un idiota —dijo ella.

—Le metes tus sueños entre ceja y ceja y guardas la marihuana para ti —sigue mis palabras con expresión burlona—. Te desquitas de tu padre con él.

—No sabes lo que dices —dijo F.

Me puse a ver una revista de motos y la dejé con sus cavilaciones. ¿Qué demonios sabía yo de tener hijos? Pero en cuanto a fastidiar soy un experto. En realidad casi todos los padres aspiran a que sus hijos resuelvan sus frustraciones; si lo hacen son hijos excelentes y si no, son hijos de puta. La repetida frase: *sólo quiero lo mejor para mis hijos* es una puerta al infierno. Lo peor es que esos padres no ayudan mucho; la mayoría de los que conocí eran gente brusca y escasa, máquinas tragamonedas, apegados a un oficio de por vida. Y con sus malditos genes esperan que los hijos hagan el milagro. Glup. Noté que F estaba algo mermada.

—Sólo hablo paja —dije.

—No estoy segura —dijo ella.

Levantó su pesado trasero del sofá y fue hasta la cocina. Trajo una botella a medias de vodka y dos vasos. Sirvió dos largos chorros. Después fue por hielo, limón y soda. Nos sentamos en el piso. Estaban pasando el noticiero. F me confesó que una vez le había pegado a su madre y ésta le había lanzado una terrible maldición. Debido a eso su vida era ruin, la madre había muerto sin perdonarla.

—¿Qué tiene de ruin tu vida?

—Soy gorda, medio lesbiana y hace tres años tuve un infarto.

—Ah, eso…

Bebimos en silencio. En la pantalla mostraban a un mafioso recién capturado. Todos los días cogían o se entregaba alguno, se había hecho una odiosa costumbre. Los noticieros cada vez le daban menos tiempo, eso de capturar capos ya no vendía tantas gaseosas. Las recompensas habían caído hasta no ser más que una bicoca, sin embargo la gente seguía arriesgando el pellejo para obtenerlas. Por gente importante de la guerrilla se pagaba más. Pensé que jamás denunciaría a nadie; no importa cuánto dinero hubiera de por medio, simplemente me parecía abstracto y sucio andar de soplón por allí. Miré la cara del mafioso y tuve la misma impresión de siempre: parecía poca cosa para haber hecho tanto. Todos ellos me recordaban reproducciones baratas de los muñecos de Plaza Sésamo que vendían en las aceras de Ciudad Inmóvil. Así se veían, como muñecos de trapo tirados bajo el ardiente sol y el polvo. Demasiado lejos de la imagen de Brando en El Padrino. Aquello parecía un fraude: el reportero con cara de gallina, su insignificante criminal y F y yo bebiendo vodka ante la tele.

—Vamos arriba —dijo F.

—Me quedo —dije.

La observé subiendo escalón por escalón, respiraba con dificultad y su pesado trasero apenas podía moverse. Sabía que era un error despreciarla pero estaba hastiado de la pesca submarina; necesitaba sol y aire fresco, no me importaba la lluvia ácida ni el cáncer de piel. Quería una chica morena, un magro y dulce amorcito de verano. Ella me llamó desde arriba.

—Más tarde —dije.

Siento sus pasos y corro a encerrarme en el baño, me bajo el pantalón y finjo cagar. Ella baja hasta la sala, puedo escuchar su resuello. Se está ahogando pero quiere tener una picha adentro a como dé lugar. La siento venir hacia aquí.

—¿Estás ahí?

—Ajá.

—¿Qué haces?

—Exploro Saturno.

—¿Te demoras?

—No sé.

—Te espero arriba y no olvides lavar bien a Saturno.

—Ajá.

¿Será que Prince ha pasado por esto? Lo dudo. Me canso de estar sentado y ante el espejo detallo mis rasgos: nariz corta y chata, un tanto femenina. Orejas pequeñas, boca en forma de culo de gallina, pelo escaso y opaco, como el de los muertos. Los ojos color verde-caca de caballo asoleada. Detalle por detalle no soy gran cosa pero el conjunto es agradable, parezco el bosquejo de una pintura sobre un hombre bello y delicado. Mis hombros están algo caídos, nunca me gustó el deporte, me parece de lo más estúpido que hay para justificar la existencia. Puro sudor y sangre en guijarros. Nunca voy a casarme, nunca tendré hijos, nunca cantaré en un club nocturno de mala muerte imitando a Peter Frampton, ni siquiera en *You Don't Know Like I Know* que

Rep y Ciro aseguran canto mejor que él. ¿Qué voy a hacer conmigo? Ya no quiero más revolcadas con la maldita gorda. No sé cómo hacerla entender que llegué al tope. La caja timbró y pagué la entrada. Estoy seco y no querrá que vomite su bello rostro. Salgo del baño en puntillas. Abro la puerta del apartamento con cuidado y la dejo entreabierta. Recorro el pasillo y me quedo en las escaleras que llevan a los otros pisos. Un poco más abajo está una chica negra, parece compungida. Me levanto y bajo los escalones que me separan de ella. Huele a manteca quemada, cebolla y vómito de bebé.

—¿Qué te pasa?

Levanta la cara y me mira con azoro. Tiene unos bellos ojazos negros, su boca es fantasía pura.

—Nada —dice.

—¿No confías en mí?

Su cara se ilumina un instante y enseguida vuelve a entristecerse. Toco su mejilla con mi mano y ella la aparta. Siento que es una frágil mujer, que puedo hacer con ella lo que me dé la gana. Pienso: *soy superior a ti, soy tu dueño.*

—Usted se está quedando donde doña F.

—¿Eres su amiga?

—Nooooo —dice nerviosa—. Trabajo en el apartamento vecino y lo he visto pasar con ella.

—Sí, F es amiga de mi familia. Estoy de paso.

—Ahhh.

—¿Tienes novio?

Suelta una risa nerviosa. Observo sus tetas, sus amplias caderas. Parece tener cada cosa en su lugar. Su pelo es áspero como una bola de hierba reseca, me encantaría alisarlo. Se vería como una estrella de hip-hop.

—No —dice finalmente.

—¿Y qué pasó con él?

—Se fue a prestar el servicio militar.

—¿Por eso estás triste?

—Noooo —dice y el púrpura de su cara resplande-
ce—, puse demasiado blanqueador y dañé un vestido de la
señora.

—¿Te echaron?

—No.

—¿Entonces?

—Van a descontarme del sueldo.

—¡Qué hijueputas!

—Cállese, por favor.

—Si me das un beso.

—Pero no lo conozco.

—Gritaré más fuerte.

Se queda mirándome con picardía. Acerco la cara para
besarla y se echa hacia atrás. Hago como si fuera a pegar un
grito y ella cierra los ojos y se queda quieta; trato de aprisio-
nar sus labios pero son demasiado para los míos. Se aparta
un poco. Me siento excitado.

—Tengo que regresar —dice.

—¿Nos vemos en la noche?

—¿Dónde?

—Aquí mismo si quieres.

—¿Usted qué hace?

—Vendo máquinas de coser —digo.

—Ahhh.

Se aleja caminando con garbo. Es alta y tiene un trasero
pequeño, redondo y duro. Da vértigo verla caminar. Es un
tesoro aunque el humilde traje y la descuidada pelambrera
la rebajen un poco. La sigo de cerca.

—¿Cómo te llamas?

—Aisha. Mi madrina dice que así se llamaba una princesa árabe.

—No lo dudo.

—Y usted, ¿cómo se llama?

—Eric David.

—¿Como el de la telenovela?

—Exacto —dije.

Entró al apartamento no sin antes dedicarme su mejor sonrisa. Me pareció que el vendedor con nombre de galán televisivo la había dejado satisfecha. Cada mujer tiene un sueño a su medida, el arte es no rebasar esa medida. Muy poco es nada y un poco más es demasiado. Empujé la puerta con cuidado, F estaba en el sofá.

—¿Dónde te metiste?

—Fui a comprar cigarrillos.

—¿Subimos?

—En un rato —dije.

—Bueno —dijo ella y volvió a subir.

Me quedé en el sofá y bebí de un trago lo que quedaba de la botella. Entonces subí. Estaba echada sobre la cama como un monstruo marino agonizante y perverso. Me desnudé y me tumbé a su lado. Empezó a frotarme la picha. Cuando estuve listo se la metí y traté de mantener la erección. La picha fue escurriéndose lentamente y me sentí abatido. Antes que cayera en cuenta cerré los ojos y pensé en Aisha y el efecto fue instantáneo. El monstruo pataleaba abajo y lanzaba horrendos quejidos pero la picha se mantuvo rígida y Aisha seguía en la oscura pantalla de mi mente con su culito prieto hediondo a cebolla. Cuando el monstruo obtuvo lo suyo me aparté.

—Casi me matas —dijo el monstruo—. Esta vez me gustó mucho.

—A mí también —dije.

—No vayas a enamorarte de mí porque luego es un lío.

—Ajá.

—¿Lo prometes?

—Ajá.

Fue al baño y canturreó bajo la ducha. No sé por qué diablos algunas mujeres confunden una simple culeada con amor. Según mi experiencia hay miles de razones para echar polvillos dorados (dinero, techo, dolor, rabia, insomnio, etc., etc.), en cambio el amor sólo tiene una: sacar los sueños varados de entre las orejas. Ella era una asquerosa vejiga de cerdo, una masa sin forma, una plasta de estiércol de vaca andina. ¿Por quién rayos me tomaba? No sería la estrella de la próxima película de James Cameron pero tenía lo mío: podía componer y cantar bellas canciones y sabía cocinar berenjenas mejor que nadie. Estaba en un mal momento pero tenía bien claro lo que es una mujer de verdad y para qué sirve. Cualquier cosa entre los dos que imaginara ese monstruo, aparte de asco y necesidad, sería una ofensa.

—Voy para cine —dijo el alegre monstruo— ¿Vienes?

Estaba parada frente a mí, las tetas se desparramaban sobre su vientre, los bollos de carne barata entre las piernas le tapaban el mugroso e infatigable chochito, sólo faltaba que hiciera: muuuu, muuuu.

—No —dije—. Oye, ¿qué pensarías de un tipo que se llama Eric David y vende máquinas de coser?

—¿Qué clase de pregunta es esa?

—Sólo di lo que se te ocurra.

—Que debe ser un idiota igual que tú.

—¿Por qué un idiota?

—¿Qué genio conoces con un nombre tan estúpido que venda máquinas de coser?

—Y de mi nombre ¿qué opinas?

—¿Qué mosca te picó con los nombres?

—¿Te gusta o no?

—No.

—¿Qué tiene de malo mi nombre?

—¿Crees que soy estúpida? —pregunta echando fuego por los ojos. Su cambio de actitud me sorprende y no atino a decir nada—. Si te pasas de la raya vas a saber quién soy.

6

F salió dando un portazo que no alcancé a descifrar. Las mujeres siempre serán un misterio para mí. Una cosa era cierta: me cansaba de ellas, nunca había podido soportar a una mujer más allá de cierto tiempo y cierto límite, un límite que ninguna quiso aceptar. Obvio que una gorda gritona cansa más pronto que una rubia humilde, pero ya se sabe lo complicado que es conseguir en el vasto mundo una rubia humilde. Igual la belleza es sólo un calmante porque contra el hastío y el demencial paso de las horas no hay remedio que valga. Cuando se está harto de calor humano y diálogos sordos tanto la rubia como el pellejo inflado pueden irse por la cañería. Un hombre necesita porciones de soledad así sea para rascarse la parte debajo de las pelotas. Soportar que te respiren en la nuca las 24 horas revienta a cualquiera. Sólo los iluminados: dentistas, profesores de historia, coordinadores lúdicos y esa interminable fila de gargajos fotónicos podían pasarse la vida bajo el acecho de otro mamífero. Ellos eran impermeables al hastío y por eso están más allá del sentido común, más allá del crimen y el zumbido.

Imaginé a F cruzando las calles; deteniéndose en las vidrieras para observar alguna inmóvil y silenciosa mujer de yeso. Para admirar su elegancia y finura y cada cosa delicada y perfecta que ella jamás tendría. Ante el acoso de una vendedora seguiría su camino y luego, en una esquina, bajaría las escaleras para esperar el metro. Y entonces, cuando el metro se acercara pitando raudo, alguien empujaría a F... Puedo escuchar el SSSPPLAASSSS, algunos pringos de F manchan los zapatos del asesino que no se mueve. Subo por las piernas hasta llegar a la cara: es mi propia cara y la sonrisa no puede ser más ancha. Lo malo del asunto es que esta mugrosa ciudad no tiene metro.

Por supuesto que la soledad también cansa. Estar solo más tiempo del previsto puede ser tan horrible y letal como casarse con la mujer equivocada, pero... ¿qué mujer no sería la equivocada? En cambio con la soledad no hay trampas. Sin embargo, una dulce mujer limpiando las persianas o haciendo señas en una oficina para que hombrecillos en mangas de camisa cumplan sus deseos. Sin embargo, una suave mujer tumbada en el sofá leyendo sobre moda o cocina hindú. Sin embargo, una cálida, simple y no GORDA mujer que odie encender la tele los domingos. Sin embargo, una callada mujer que pone su pequeña mano sobre tu pecho a medianoche...

A veces uno logra lo que quiere pero la mayoría del tiempo la vida es sólo una superficie fría e impenetrable por la que nos deslizamos como pingüinos borrachos. Existen quienes logran lo que jamás imaginaron: pingüinos suertudos que terminan la borrachera en un pozo repleto de arenques. Lo peor es cuando logras con exactitud lo que siempre quisiste. Los que engullen de un bocado la primera oportunidad que se les presenta no tardan en saber que un verdadero hombre debe medirse por las oportunidades que es capaz de evadir. Tras cada hermosa oportunidad viene un metro pitando raudo y hay una mano lista para empujarte. Los que estén cerca escucharán el sssppplaasssss, eso será todo. NADIE sabrá qué fue de ti ni si sentiste algo en el último instante. Nadie que exprime una naranja piensa en lo que siente esa naranja. Y es que hay quienes caen en cuenta que lo tienen todo y no salen corriendo de allí a toda prisa, no se lanzan de inmediato por la azotea sino que sonríen y sacan pecho. Y allí van los hombres y sus mujeres, van en autos blindados o viejos taxis, van a pie, están sentados en bares infinitos, en salas infinitas, hacen el amor o se comen las uñas, y HABLAN. Sí, hablan. Hablan de sus logros afines, de sus gripas, de sus vicios públicos o secretos, de forúnculos o frutas que mejoran la actividad intestinal: la eterna y no siempre feliz actividad intestinal. Todo lo hacen ellos sin reparar en daños, lo hacen simple como un gato echando tierra para cubrir sus excrementos. Ellos han tomado su oportunidad sin dudarlo, ellos ganaron el boleto, ellos siguen allí a pesar de todo.

Sé lo que están pensando y estoy de acuerdo. No se puede hablar mucho cuando te has revolcado varios días con un rumiante con tal de tener un techo y has hundido la boca en un beso atroz. Rep y Ciro estarían orgullosos de mí, ellos tienen aguante y me creen de su especie. Ignoran que soy blando, que lo mío sólo son fintas y sueños de rockandroll.

7

Traté en vano de convencer a Aisha para que se metiera conmigo en el apartamento. Cuando supe que no iba a lograrlo la invité a caminar. Estaba limpia, olía a jabón de monte. Traía puesta una camisa blanca anudada en la cintura, sus pezones morenos empujaban la tela como peces atrapados en una red. La falda de color verde menta dejaba al aire sus muslos, usaba zapatos negros de hombre que parecían tres tallas mayor que los míos.

—¿Te quedan grandes?

—No —dijo con aquella voz apacible—. Soy patona.

Su risa delgada y desigual me dio fastidio; si algo me mortifica de una mujer es que sus manos o pies superen a los míos. Aisha ni siquiera parecía sentir vergüenza. Pensé: *qué rayos me importan sus pies, es sólo una sirvienta y no voy a pasarme la vida con ella.* Me detuve frente a un restaurante chino y entré sin consultarle. Me siguió como un perro. Busqué la mesa más al fondo posible. Pedí dos cervezas.

—No quiero cerveza —dijo.

—¿Qué quiele? —preguntó el pequeño y delgado chino que nos atendía.

—Una cocacola —dijo. La cara amarilla del chino se iluminó, sus ojos estaban clavados en aquellos pezones—. Y un vaso con hielo.

—¿Tienes hambre?

Me quedaba algo de dinero (mi hermana me pone citas misteriosas para darme lo que puede; la última vez nos habíamos encontrado en una cabina telefónica).

—¿Y usted?

—Un poco —dije—. Podríamos compartir un arroz chino.

—Y dos rollitos —dijo entornando los ojos y dejando un poco abiertos los labios. El gesto era tan falso y exagerado que seguro lo había copiado de alguna presentadora—. ¿Los ha probado?

—¿Los *egg rolls*? Sí, pero no aquí. Fue en Bogotá, en un restaurante más limpio y mejor iluminado que éste.

—¿En Bogotá?

Esta vez abrió la boca en serio. Claro, para ella Bogotá debía ser como un viaje a la Luna. Era mi oportunidad de desquitarme por aquellos pies. El mesero seguía mirando las tetas de Aisha que en cualquier momento iban a destrozar la tela e invadir el mundo.

—He ido tres veces… La conozco muy bien.

—¿Y a los actores?

—Me los encontraba en la calle.

Se queda callada mirándome como si fuera un extraterrestre. Había cruzado las piernas y la falda se había encogido, de su diminuta braga escapaban algunos pelos. El mesero bajó la mirada hacia su entrepierna y ella se estiró la falda. Le dije al mesero que nos trajera un arroz chino y una porción de aquellos grasientos *egg rolls*.

—¿Alguna otla cosa? —preguntó sin quitar la vista de Aisha.

Negué con la cabeza y él, muy a su pesar, se dirigió al fondo del restaurante. Por la forma de llevar las manos me di cuenta que trataba de tapar una inoportuna erección.

—Eric… ¿De verdad los viste?

—¿Cuál es Eric?... Ah, sí —todavía no me acostumbraba al nombre—. Incluso estuve en un programa de Jorge Barón.

—No te creo.

—Fui parte del público. No cobran la entrada, sólo hay que llegar temprano para inscribirse.

Me di cuenta que había empezado a tutearme. Era increíble lo indefensa que parecía pero en cuanto tratara de acercarme sacaría las uñas. ¿Por qué actuaba de esa forma si en el fondo queríamos lo mismo? Todas seguían un libreto parecido cuyo fin era reventarnos la crisma antes de abrir las piernas. ¿A qué distancia estaría de que Aisha me permitiera tocar sus tetas? El mesero trajo las bebidas. Le hablé a Aisha en el oído. Miró al mesero y enseguida descruzó las piernas y adoptó una postura rígida que no dejaba ver nada. El mesero me dirigió una mirada de odio y se fue a buscar el arroz.

—¿Te molesta que me miren?

—Con el morbo de ese chino, sí.

—¿Y tú cómo me miras?

El chino regresó y puso el arroz y los platos sobre la mesa. Me preguntó si quería algo más y le dije que nos dejara solos. Sus ojitos echaron chispas; seguro pensaba que yo era un cajero de banco tratando de embaucar a la pobre sirvienta y en cierta forma tenía razón. Y él ¿qué haría si la tuviera? No creo que llevarla de paseo a China. Al carajo con los desgraciados chinos. Aquí o allá el mundo no era más que un callejón lleno de pichas tiesas que soñaban con estrenar dulces y angostos chochitos. No había diferencia sustancial entre un mesero, un vendedor de pólizas o alguien como yo. ¿Y quién rayos era yo? De momento Eric y no debía olvidarlo.

Observé que Aisha sabía comer. Quienquiera que fuera, no le había faltado comida en la infancia. Quizá su padre había sido capataz de una plantación de banano o empleado de confianza de algún rico terrateniente. Es probable que de niña hubiera caminado entre las hileras de árboles de níspero y guayaba, de mango y granadilla, mientras las frutas caían a su alrededor. Por eso mordía el *egg roll* sin apurarse y masticaba y tragaba cada bocado de arroz en el tiempo y la medida justa. Y para completar su hazaña podía recoger el arroz y llevarse el tenedor a la boca sin dejar de mirarme. El arte de comer con gracia y criterio no tenía secretos para ella; es posible que con una buena dotación de shampoos y conchas de nácar disueltas en limón aquella chica hubiera podido pasar por princesa árabe. Otra vez cruzó las piernas.

Después que salimos del restaurante caminamos un poco y luego nos sentamos en la banca de un parque. Allí le declaré mi amor pero ella se mantuvo incólume. Me dijo que necesitaba tiempo y toda esa basura que forma parte del libreto. Ataqué su defensa, hecha con chismes de peluquería, peluches baratos y frasecitas kiut, por los cuatro costados pero en sus cursis remilgos se ahogaron una tras otra mis frases existencialistas y estribillos neosicodélicos. De reflejos también andaba en forma: sus manos no permitieron que las mías tocaran algún objetivo de importancia. Eran manos pequeñas pero más ásperas aun que su pelo. Debía llevar años en aquel oficio. Me dije: *¿qué putas hago cortejando a una mujer cuyos pies serían la envidia de un gorila?* Tuve la intención de largarme pero allí seguían sus tetas, sus muslos, su trasero y aquella boca *Special Edition…* ¡Bingo! Esa era la razón para que tuviera extremos tan toscos; estaban hechos como las espinas en las flores para proteger el tesoro. Y para obtener un tesoro se requería paciencia. Aunque sólo conseguí acariciar su cara, y un tibio e inocente beso que me permitió cuando estábamos por llegar al edificio, tuve la impresión de haber ganado mucho terreno. Dentro de una estricta lógica nada que me negara a mí se lo daría a otro. Esperé a que entrara, habíamos decidido hacerlo por separado para evitar que la imaginación de los porteros empezara a desbordarse, su trasero se perdió de vista y la vida volvió repleta de sucias fachadas y aguas negras. Esa noche, acurrucado en el sofá y fingiendo dormir para evadir a F, pensé en Aisha e imaginé su mente: ¿Cómo sería su mente? ¿Qué pesadilla la atormentaba? ¿Habría espacio allí para un poco de rockandroll? Desde arriba llegaban los ronquidos del monstruo que hacían temblar el apartamento y un poco más allá, del otro lado de la pared, estaría Aisha dormida. Apenas un leve soplo de aire escapaba por su boca entreabierta. En ese instante la amé.

8

F se fue a trabajar. Preparé huevos revueltos y los comí con pan tostado y un vaso de leche. Cada vez que mi hermana me daba dinero le dejaba parte a F. Después del desayuno hice el aseo: barrer y trapear pisos, limpiar los muebles, lavar el baño, la nevera y quitar el polvo de las persianas. F tenía una señora que venía una vez a la semana pero mi deber era mantener todo impecable. Encendí la tele para ver qué estaban pasando en MTV. Sonó el timbre. Abrí. Era Zeta.

—Hola —dijo.

—Hola —dije.

Subió hasta el cuarto de F. Pensé en seguirla pero no tuve coraje. La escuché moviendo cosas arriba. Subí el volumen de la tele; la cara larga y la inmensa boca de Steven Tyler ocupaban la pantalla. Zeta bajó con unos libros y se sentó junto a mí.

—¿Te acuestas con ella?

—No —dije.

—Sé que te acuestas con ella y debe ser horrible.

Bajé el volumen. El viejo Tyler le había dejado su lugar a la zonza de Celine Dion.

—¿Por qué?

—No tienes el antídoto —dice forzando la ironía y agrega con la misma voz rota y un poco ridícula que escucho cada día en el teléfono—. En cambio yo la amo.

Puso una mano sobre mi pierna y empezó a llorar. No sabía qué hacer o decir. Estaba vestida de negro, un bonito vestido pegado al cuerpo. El pelo cortico le daba un aire juvenil. Usaba zapatos café de tacón alto. Era una señora de lo más bella y conservada. Sus senos temblaban ligeramente con cada sollozo.

—Ella también te ama.

—Ya no —dijo—... Por favor, dile que murió Sayo.

Se levanta y camina hacia la puerta. Siento deseos de abrazarla y cubrirla a besos, siento deseos de que sea mía, la mujer de mi vida. Siento un terrible amor por ella. Siento celos de su amor por F, de su indiferencia conmigo. Siento ganas de matarla a puñaladas. Ella sale y jala despacito la puerta hasta ajustarla al marco. Su perfume queda atrapado dentro. Observo la fea cara de Celine, de su boca escapa sin esfuerzo aquella vocecita que vende millones. Apago la tele y salgo a dar vueltas por el pasillo esperando que Aisha asome el pico pero no hay rastro de ella. Regreso al apartamento y le doy un poco a la guitarra. Practico con una canción de Tom Waits que explica la mala suerte como una madre muerta y una esposa viva. Me canso de estar allí, dejo la guitarra y doy otra ronda al pasillo. Nada. Mando todas mis expectativas al carajo y voy a dar vueltas por el Centro de Ciudad Inmóvil. El sol de la mañana es agradable. La gente va y viene como siempre: bañados, peinados y perfumados. También hay de los otros pero sólo reparo en los buenos; los que parecen tener asuntos pendientes, ilusiones vivas y ascensos por lograr. Entro a una cafetería y ocupo una mesa del fondo. De inmediato se acerca una mesera y le digo que no quiero nada, que estoy buscando empleo.

—Puedes estar en la barra —dice—. En las mesas se *debe* consumir.

Miro todas las mesas vacías y abandono el lugar. Afuera encuentro a Enrique que me invita a un café. Regreso con él a la misma mesa de antes y la mesera nos sale al quite.

—Dos cafés y un cenicero —dice Enrique.

—Aquí no se puede fumar —dice ella.

—El mío con un vaso de agua —digo.

La tipa se aleja con la barbilla en alto. Enrique es ingeniero, estudiamos juntos en la secundaria y nos tenemos cariño. Está casado, tiene dos hijos y recuerdo que siempre tuvo claro lo de ser ingeniero.

—Llamé donde tu hermana y dijo que te habías mudado.

—Podría decirse que sí.

—¿Tienes problemas?

—No.

—Si necesitas algo…

—¿Puedo vivir en tu casa?

—Ya conoces a mi mujer.

—Tranquilo, era una broma.

Sonríe nervioso. Es buena persona y sé que me estima. También sé que es un idiota casado con una bruja insensible que me odia. A Enrique nunca le gustó mucho el rockandroll pero junto a ella su gusto musical decayó a extremos inadmisibles (basta decir que colecciona cosas de JLO). Me cuenta que su hijo mayor está enloquecido con Eminem (algo es algo). Bebe de prisa su café y se despide porque tiene una cita con un cliente. Juego un rato con el café para exasperar a la mesera y luego regreso a la calle. La gente es algo tremendo, hasta los que piden en las aceras se dan su importancia. Cuando paso junto a ellos miran hacia otro lado. Buen olfato, no hay duda. Tengo una idea en la cabeza pero no estoy seguro que sea buena. El sol empieza a calentar fuerte y apuro el paso.

El sujeto estaba leyendo a Shakespeare. Le dije que necesitaba hablar con él, que era importante. Levantó la ceja izquierda, cerró el libro y lo sostuvo contra su pecho. Era una bonita edición inglesa, una rara joya para aquel antro. Las pistoleras estaban expectantes. Dejó el libro sobre el carrito y salimos. Me condujo hasta un pequeño bar cerca de la Inquisición. Había pocos clientes y todos eran viejos, las meseras también estaban ajadas. Una, vestida de rojo, se acercó a saludarnos. Él la besó en la boca. Opté por una cerveza, él había pedido un doble de ron. Nos sentamos. Le recordé que había dicho que en su edificio necesitaban un ascensorista. Pareció decepcionado.

—Ya no —dijo.

—¡Carajo! —dije.

Estaba molesto. Bebió su trago en pequeños sorbos y pidió otro. Pensé en una buena disculpa pero mi mente estaba a oscuras.

—No te preocupes —dijo—. No tiene importancia.

—Me habría venido bien.

—Igual no te lo habrían dado. La administradora prefiere a los viejos porque según ella son más estables.

Le conté mi historia. Aseguró que también veía dibujos animados pero que le gustaba más el cine porno.

—¿Y cómo van tus cosas?

—No creo que vuelva mi mujer —dijo resignado—. Ella se ha ido otras veces pero siempre ha regresado en máximo dos semanas. Ese *pirata* debe ser rudo; quizá la tenga lavando la cubierta de su barco y en las noches, después de una paliza salvaje, le meta su bronceado garfio.

—¿Qué piensas hacer?

—No sé, ¿qué harías tú?

—No sé… ¿Y la radio?

—Me dicen que no tiene arreglo —su voz es cada vez más baja, me cuesta escucharlo—. Uno necesita tararear canciones. Las canciones funcionan en estos casos igual que los menjurjes de las abuelas: saben mal pero alivian.

Soltó una risita partida en mil fragmentos, sus pequeños ojos lanzaron destellos y supe entonces cuánto sufría y lo perdido que estaba.

—Voy al baño —dije.

El bombillo del baño estaba quemado, así que aguanté el chorro en la oscuridad hasta ubicar el inodoro. Por el olor me di cuenta que otros no se habían tomado tantas molestias. Pensé en el sujeto. No me pasmaría enterarme por ahí que su mujer lo había dejado hacía años o que había fallecido en un accidente del cual él había salido misteriosamente ileso. Ahora expiaba la culpa inventando historias. Otra secuencia mostraba al sujeto matando y descuartizando a su mujer para enterrar luego sus restos en un playón solitario. Un carnicero sentimental puede acabar en poeta. Salí del baño sudando. Una puta de 70 años me hizo señas; estaba maquillada como el Guasón, parecía un moscón mierdero. El sujeto estaba hablando con la mesera de rojo.

—¿Otra? —pregunta ella señalando mi botella.

—Lo más fría posible —dije.

La mesera le habló al oído y ambos rieron. Él iba por su sexto doble de ron. Los vasitos vacíos estaban arrumados en el centro de la mesa. Se mece un poco en la silla y pregunta si quiero escuchar su último poema. La mesera se levanta para ir por mi cerveza y él la retiene por el brazo, saca una hoja del bolsillo y empieza a leer:

Uno sueña y sueña con el amor / pero el
amor es ingrato / el amor sólo viene cuando
uno no sueña / Uno gira y gira hasta caer
y cuando uno cae muchos ríen / Uno sueña
y sueña con suaves ninfas pero duerme con
sirvientas.

—¿Qué te parece?

La mesera se lo piensa un poco y luego dice:

—Suena bonito pero no entendí nada.

Él la abraza y enseguida le da una palmada en las nalgas y le pide traer la cerveza. Ella se va canturreando el bolero que suena al fondo.

—¿Y tú qué dices?

—Es bueno —digo.

Me mira con desprecio.

—Qué estúpido eres —dice y no le falta razón—. No es bueno, es magnífico.

—No sé clasificar esas cosas…

—Porque eres estúpido —dice y ríe.

¿Cómo clasificar algo que me rebasa y sobrecoge, algo que se hunde dentro de mí y regresa a la superficie igual que una bola de excremento en un retrete averiado? Él desea palabras sobre sus palabras. Me encojo de hombros, soy un pobre idiota y qué. Los poetas son como esponjas para los elogios. Lo que quiere es un inmenso charco de frases hechas para restregarse pero se equivocó de hombre. No tengo empleo, oficio determinado o familia. Tengo una guitarra y 100.000 canciones girando en mi cabeza. Otra mesera llega con la cerveza y se sienta a su lado. Él la besa, le habla al oído y ríen. Otra vez lee el poema y ella aplaude y lo besa en el cuello. Veo su cara bajo la luz; es redonda y amarilla como la yema de un huevo frito.

—¿También eres poeta?

—No.

—¿Qué eres, cariño?

—Por ahora nada.

—Escuché que eres músico —dice él—. ¿Te gusta el *blues*?

—Nadie sabe qué es el *blues* —digo y me arrepiento enseguida—. Al menos eso escribió Flannery O'Connor.

—¿Quién es ese? —pregunta la mesera.

—Un idiota —dice él—. Sé qué es el *blues*. Una vez viajé de Nuevo México a New Orleans en un Ford Shelby con una rubia cuyo nombre olvidé. Ella me enseñó a comer LSD por toneladas y tuve demencia transitoria. Pero aun si no hubiera estado en los bares de New Orleans sabría qué es el *blues* porque soy un poeta y tengo el don de la clarividencia.

—Dilo entonces —su expresión es una perfecta mezcla de curiosidad y angustia. Tiene dos dientes de oro y una cicatriz en el pómulo que el maquillaje no alcanza a disimular—. Deja de dar vueltas y dinos qué maldita cosa es el *blues*.

Él la abraza por la cintura, sus caras se pegan; la del poeta es blanca y cuadrada como queso de supermercado.

—*Esto lo estoy tocando mañana* dijo *Yardbird* Parker a mitad de un *jam* con Dizzy, Buddy, Ammons y otros haraganes por el estilo.

La mesera se levantó como si un bicho le hubiera picado el culo. Su cara pasó de amarilla a roja, ahora parecía una bombilla navideña.

—Ya entendí que sabes muchos nombres raros —arrastraba cada palabra y un poco de baba escurrió hasta su barbilla—. Pero, dime, ¿qué carajos es el *blues*?

Él no había seguido sus movimientos, aquellos ojillos de topo estaban clavados en los míos. Aquella mente estaba concentrada en juntar toda la información que tenía sobre música afroamericana con el único fin de humillarme. Un tipo de Ciudad Inmóvil, que se pasaba los días encerrado en una biblioteca pública leyendo a Shakespeare en bellas ediciones inglesas, tenía todo el derecho a sacarse el clavo humillando al primero que le diera chance. No es que me hiciera gracia su tono pero podía soportarlo. Ambos estábamos jodidos, sólo que él era alguien jodido de cuarenta y pico años.

—¿Sabes qué le dijo *Mister B* a Miles mientras tocaban en St. Louis Missouri en 1944? —negué con la cabeza. Sus ojillos eran fríos y brillantes como cabezas de alfiler—. ¿No lo sabes? ¿No…?

De repente la mesera lo agarró por el brazo y lo obligó a levantarse. Él le sacaba al menos 30 centímetros y ella tuvo que alzar la cara y empinarse para hablarle. Lo hizo con tanta rabia que de su boca escaparon cientos de gotas de saliva que, como proyectiles de una pequeña nave espacial, se estrellaron contra el pedazo de queso rancio:

—¿QUÉ MIERDA ES EL BLUES? —la respuesta de él fue tan rápida que ella no pudo verla venir. Sentí el estallido y la vi recular dos metros hasta la mesa vecina. Un tipo que estaba en esa mesa la sostuvo para evitar que cayera. Ella se arregló el vestido como si nada hubiera pasado y se acercó otra vez al sujeto. Los dedos de éste estaban marcados en su mejilla. La rabia había huido dejando en su lugar una expresión entre risueña y triste—. ¿No vas a decirlo, verdad? Nunca me vas a decir lo que es el *blues*.

9

—¿Sabes qué me emputa?

—Que te saquen de un bar a mediodía.

—También eso —caminábamos por el malecón rumbo a su edificio bajo el implacable sol de Ciudad Inmóvil—. Pero más aún que las mujeres gateen. Ya sabes, en los videos. Entiendo que las actrices porno lo hagan, es parte del trabajo. Me refiero a las cantantes. Todo el tiempo están gateando hacia la cámara y abriendo la boca. ¿Te excita eso?

—Me da igual. Ni siquiera lo había pensado.

Sudaba como un condenado. A la altura de las axilas y en la espalda su camisa tenía largas manchas de humedad. Una chica estaba sentada en una piedra de cara al mar. Él se detuvo a mirarla.

—¿Crees que ella gatee si se lo pido?

Observé que más adelante había un chico recogiendo conchas de la arena.

—Pregúntale al novio.

Desvió la mirada hacia el chico y siguió caminando. Habíamos entrado en la zona turística, las aceras estaban llenas de harapientos vendedores. Una chica rubia le ofreció un collar.

—¿Te gusta gatear? —ella no pareció entender—. Como esa tal Beyonce.

—Prefiero el tecno —dijo la chica, él se movió imitando un paso de baile. Era grande y torpe como una morsa. La chica sonrió con el collar en la mano—. ¿Te gusta así o quieres ver otros?

—Jamás vayas a gatear. Es estúpido, no tienes por qué hacerlo. Así seas cantante no vayas a hacerlo. No se siente bien aquí —dijo llevándose la mano al centro del pecho—. Ojalá nunca te vea gateando.

Ella se encogió de hombros y le ofreció el collar a un albino que curioseaba junto a nosotros. El poeta hizo un gesto para que lo siguiera. Cruzamos la calle, llegamos a la esquina y entramos por una calle más angosta. Él señaló un viejo edificio al fondo.

—Allí es donde vivo.

El ascensorista era más viejo de lo que imaginé. Tenía la nariz ancha y las orejas le colgaban como un basset hound. Nos miró y sólo lo saludó a él. Nos bajamos en el piso 21. Me condujo a través de un oscuro pasillo, su apartamento estaba al fondo. Era amplio, con una terraza desde la cual se veía el mar y un poco más adelante el casco histórico de Ciudad Inmóvil. En un extremo de la terraza había varias pilas de un libro amarillo. Tomé un ejemplar. *Secretos de la mangosta* era el pomposo título. Él se acercó.

—Buen título —dije.

—Deja eso —dijo y me arrancó el libro de las manos—. Nunca debí hacer editar esta basura.

—Me gustan tus poemas.

—¿Y eso qué? —puso el libro sobre una de las pilas—. ¿Debería sentirme mejor? Tú no sabes un carajo de poesía. Lo que digas vale un pito. ¿Quieres una cerveza?

—No.

—¿Qué quieres?

—Tú sabes lo que quiero.

—Vamos adentro —dice. Lo sigo. Él saca dos latas de cerveza de la nevera y me pasa una. Nos sentamos en el piso de la sala vacía—. Siempre alguien se va y entonces hay que vender los muebles. No teníamos mucho en común y jamás le dediqué un poema. Este edificio era de mi familia y ella trabajó aquí doce años. Cuando murió mi padre la familia decidió venderlo para pagar deudas. Al final no quedó dinero para pagarle a ella por esos doce años y mi madre dijo que debía arreglar el asunto o venderían también mi apartamento. No tenía dinero y la deuda con ella era seria, tampoco quería quedarme en la calle así que le dije que nos casáramos y ella aceptó. Antes de eso jamás habíamos cruzado más que el obligado saludo.

—No te creo.

—Ella tampoco tenía dónde caerse muerta y si demandaba a mi familia igual podían pasar años antes que le pagaran. No vino a vivir conmigo enseguida, estuvo tratando que mi madre le diera aunque fuera una parte del dinero —se ríe, bebe un largo sorbo de cerveza—. Se casó conmigo para vengarse de mi madre. ¿Quieres ver una fotografía del matrimonio? Mi familia dejó de hablarme, todavía se cambian de acera cuando me encuentran en la calle.

La puerta se abre y una chica en bikini entra. Sus piernas son tan largas como dos avenidas al cielo, el cabello lacio y oscuro le llega a la cintura, los ojos claros centellean en su cara morena. Mira al sujeto y sonríe como si la vida acabara de empezar con ella. Pienso en el universo y sus lejanas constelaciones, en el agujero negro donde me gustaría estar, en el sujeto sudando a mi lado. Ella clava sus ojos verdes en mí, debe tener trece o catorce años.

—Te presento a Sofía —dice el poeta.

—Hola —dice ella y luego le habla al poeta—. ¿Me das 5.000?

El poeta se mete la mano al bolsillo, saca un billete y se lo da. Ella se inclina y lo besa en la frente, se despide de mí con un gesto y sale dando un portazo.

—Al fin, ¿eres músico o no? —me quedo en silencio e imagino una canción sobre la vida a los 13 y la muerte a los 31.

—Lo soy.

—¿Y te crees bueno?

—Depende.

—No jodas con que depende, ¿eres bueno o no?

—Aprecio la buena música, pero soy un hombre mediano que se mueve a nivel de las canciones. No presté el servicio militar, jamás he salido en un comercial de cocacola y se me está cayendo el pelo.

—¿Qué tipo de canciones?

—Hace poco encontré una frase: *El amor es una crisis que deja aversión.* Miles de canciones se quedan atascadas allí. Sentimientos mediocres para gente mediocre cuya vida oscurece mirando revistas de farándula. Me eriza que una pequeña y barata canción haga mover el trasero y delirar a 60.000 mamíferos. Quiero estar por un instante arriba y guiarlos hacia la nada.

—Ey, tranquilo, era una simple pregunta.

—Dijiste que tenías un *pase.*

—Espera aquí.

Se levanta y sale del apartamento. Observo el resplandor amarillo de los libros en la terraza. Me levanto, me asomo en la puerta y veo el oscuro pasillo. Me quito los zapatos y camino pegado a la pared hasta encontrar las escaleras. Siento el tic-tac de mi corazón mientras bajo todo lo a prisa que puedo y me alejo del terrible resplandor.

10

A F la conocí por Taylor. Taylor era pianista: un tipo solitario que había vivido por largos años en Italia. Llegó a ese país para estudiar ingeniería de aguas y terminó en una escuela de música donde se aficionó al piano. Según las malas lenguas, cuando decidió regresar a Ciudad Inmóvil estaba en su mejor momento. Había empezado a dar conciertos y lo habían llamado de una orquesta para una gira por varios países de Europa. Justo antes de empezar esa gira cambió de parecer y compró el tiquete de vuelta. A nadie le había revelado la razón que lo tenía pudriéndose aquí. Se ganaba la vida reparando pianos y algunas veces le serví de ayudante.

—¿Por qué no aceptas ese concierto?

A pesar que Taylor había sido claro con F en que nunca más daría un concierto, ella se empecinaba en conseguirlos. Y cuando no se trataba de conciertos eran clases que alguna chiquilla adinerada quería recibir.

—Ya hablamos de eso, F —dijo Taylor con voz apagada—. Cero conciertos, cero clases. Si alguien tiene un piano averiado puedes avisarme.

El apartamento de Taylor quedaba cerca al aeropuerto, cada cierto tiempo se escuchaba aquel ruido infernal. A él no parecía importarle, seguía bebiendo su copa de vino y hablando de Bach como si estuviera en un silencioso monasterio. Sus rasgos y gestos le daban aire de otra época, tenía en las manos el nuevo libro de Rep. Taylor había diseñado la carátula de aquel libro a partir de la fotografía de una amiga suya, una italiana llamada Lorenza. F estaba en la ventana, de espaldas a nosotros, mirando aterrizar aviones. Se le notaba la frustración, a ella en el fondo le importaba un pepino que Taylor aceptara o no dar conciertos, lo terrible era ignorar la razón de su actitud.

—¿Qué te hizo esa mujer? —preguntó sin volverse.

—No dije que hubiera una mujer —respondió Taylor con la vista fija en el libro—. Quizá me cansé de perfectos veranos y duros inviernos.

—Tienes razón; cuando la persona que amas te jode el buen clima no sirve de nada —argumentó F.

—Créeme, no había una mujer —replicó Taylor.

—Siempre la hay —insistió F.

Me levanté y les serví más vino.

—Había más que eso, pero cuando decidí volver solo lo hice. No digo que fuera un impulso porque lo pensé y entonces fue como observar mi vida por esa ventana.

—Pero se supone que te estaba yendo bien.

—Podría decirse que sí. Tenía cosas que muchos envidiarían y un futuro prometedor. Y, sin embargo, algo no andaba bien. Un ruidito adentro me avisaba que en cualquier momento iba a explotar. Sentí que por mucho que sopesara las cargas jamás iba a decidir lo correcto porque simplemente no existe lo correcto.

—¿Y qué pasó con ella?

Taylor se ríe, le muestra a F la carátula: la expresión de Lorenza es dulce, sus grandes ojos marrones reflejan a Taylor cámara en mano.

—Se casó con un violinista.

F deja la ventana y se sienta enfrente de Taylor. Se miran sin pestañear durante largos minutos y luego ríen al tiempo.

—Algún día me lo dirás —dice F—. No puedes pasarte la vida con eso y lo sabes.

Taylor no responde. Bebe su vino y sonríe. Me despido de ellos y salgo a caminar sin rumbo. Él tiene razón, las decisiones son terribles. Decidir es lo que separa al niño del adulto. Un niño no toma muchas decisiones y si toma alguna no la piensa, sólo va directo al helado de vainilla o corre detrás de la libélula porque quiere arrancarle las alas. El placer y el crimen le dan igual, se trata de hacerlo y punto. Al fin y al cabo cuando se es niño la vida es infinita y se puede volver a empezar o al menos eso parece. El adulto piensa y piensa porque en cada cosa que decide se juega el resto de vida que tiene. La vida tiene varias dimensiones pero estamos condenados a elegir una e ignorar las demás. Estamos condenados a sentir que, por bien que estemos, nuestra elección fue incorrecta. Estamos condenados a vivir con alguien mientras deseamos día tras día a otros. Estamos condenados a mentir, a dar besos fríos, a seguir dando golpes en la oscuridad fingiendo una pasión que se fue hace años. ¿Por qué lo hacemos? El miedo a aceptar el fracaso podría ser una de las razones. Para todos los que lo conocen en Ciudad Inmóvil Taylor es el rey de los perdedores. Los que dan besos fríos y golpes en la oscuridad se sienten fuertes y quizá lo sean. No es nada fácil asumir que has elegido mal, la mayoría prefiere quedarse y patalear de vez en cuando: la mujer sabe que tiene a su mandril bebiendo cerveza y mascando salchicha frente a la tele cada largo domingo. El hombre entiende que esa bruja maldita con que se casó va a exigirle algo de acción cada cierto tiempo. Ambos desearían matarse de una buena vez y entonces cada quien agarra a su crío y le hace mimos y dice: *Todo sea por los niños.* Los que no tienen nada hacen hijos y a mí me da pánico sólo pensarlo. Los pasos me llevan a la playa donde hay parejas y niños jugando. Me siento en la arena y los observo y me pregunto por qué mis canciones son tan tristes. Uno de los niños me arroja un puñado de tierra y enseguida su madre viene a pedirme disculpas. Voy hasta la orilla para lavarme la cara y los escucho conversar. La madre quiere saber por qué me arrojó la tierra y el niño no puede explicarlo. Sólo lo hizo. Ella le repite hasta el cansancio que tiene que pensar antes de hacer cualquier cosa y el niño dice: *Está bien, mami. La próxima vez no lo hago.* Por eso mis canciones son tan tristes.

Recuerdo que Taylor me presentó a F en un bar de intelectuales y que esa misma noche conocí a Lira.

—¿Eres amigo de éste?

—Eso creo —dije.

—¿Lo escuchaste tocar alguna vez?

—Déjalo en paz —dijo Taylor. F se empinó la cerveza y enseguida soltó un largo eructo. Taylor me agarró del brazo y me hizo seguirlo hasta la barra—. ¿Escribiste aquella canción?

—Todavía la estoy pensando.

Taylor pidió dos cervezas y regresamos con F. Taylor le dijo a F que yo era músico. Ella le preguntó qué clase de músico.

—Escribo canciones —dije sin poder evitar cierta vergüenza. Odiaba encontrarme en aquella encrucijada. Ella levantó una de sus cejas y me miró con desdén o al menos eso creí—. Nada especial.

—¿Qué tipo de canciones?

—*Blues* y rockandroll —dijo Taylor.

—¿En serio? —su ceja subió un poco más y en sus labios hubo un amago de sonrisa—. ¿A eso llamas *nada especial*?

En ese momento dos chicas llegaron a la mesa. Una me preguntó si yo era yo. Lo pensé un poco antes de aceptarlo. Había estado en un sitio donde actué seis meses atrás y se acordaba de mis canciones. Quería saber cuándo volvía a presentarme.

—No lo sé —dije—. Si quieres déjame un número y te aviso cuando tenga algo.

La luz del bar era bajita, me costaba distinguir sus rasgos pero algo dulce emanaba de ella. Anotó sus datos en un papel y me lo entregó doblado. Las seguí con la vista hasta que salieron.

—¿Cómo se llama tu amiga? —preguntó F.

Desdoblé el papel.

—Lira —dije.

—Te escuchó una vez y se acuerda —dijo Taylor—. A mí me pasó lo mismo con *A little soul party* de The Ohio Players.

—Tengo que irme —dije.

F me alargó un libro.

—Es de un amigo —dijo—. Quizá vaya bien con tus *blues*.

Tomé el libro y me despedí de ellos. Taylor insistió en que me quedara. F le dijo que jamás había que retener a alguien. Salí del bar.

Antes de acostarme entré al baño y sentado en el inodoro leí aquel libro. Más que relatos eran bravatas sesenteras. Insisto, soy un pésimo lector pero cuando algo me atrapa lo exprimo al máximo. Los cómics, junto a Julio Verne, Mark Twain y los poemas de Poe, son mis favoritos. Recordaba una frase: *Prefiero la palabra que siente a la que indaga*. Se la había escuchado al Chapulín Colorado y desde entonces era mi sello de garantía. El amigo de F contaba historias y luego pensaba en ellas. Una y otra cosa las hacía mal. Su libro obtuvo algún comentario en el periódico de Ciudad Inmóvil y después se hundió en un merecido olvido. A veces F hablaba de él. Se había ido a Caracas porque aquí no tenía futuro y allá seguía escribiendo y esperando una oportunidad. ¿Una oportunidad en Caracas? El pobre estaba de atar. A veces he pensado en escribir el guión de una historieta pero me cuesta pasar del primer párrafo. Mi pensamiento fluye cuando no estoy ante el papel, mi tortuosa mente es capaz de crear imágenes increíbles y luego, cuando quiero expresar eso en diálogos, termino haciendo una canción. *Una novela son todos los crímenes de la humanidad contados por alguien que no cometió ninguno* dijo Mark Twain. ¿Qué sería entonces una canción? Sé de miles de personas que pueden vivir sin autos rojos o libros pero todavía no conozco a nadie que haya sobrevivido sin al menos una canción.

Pensar en el futuro me da pánico, no hay mucho que me incite a seguir, mi vida se hunde en la inconsistencia. Ninguna voz interior me ha dado una pista, nunca una paloma, iluminada o no, voló sobre mí para algo distinto a cagarme. Pensé que podría estar siempre con mi hermana y envejecer ayudando a criar a mi sobrina. Tenía la ilusión que tarde o temprano mi cuñado acabaría por aceptarme. Vivir con F me tensiona, sé que acabará echándome si no me convierto en una máquina sexual. Cuando me hablan de conseguir un buen empleo quisiera reventar. No quiero hacer nada. Envidio a los tigres del zoológico que giran en su jaula a la espera del alimento. Nadie les hace mimos ni les da estúpidos consejos. He pensado en matarme pero me cansa. Sólo soy esto y mis canciones y quiero seguir siéndolo, no tengo nada contra mí: es el mundo allá afuera lo que está mal. Son ellos quienes me exigen ser *alguien*. ¿Cómo podría ser *alguien*? Ser lo que soy ya es bastante difícil. Deberían pagarme por ser esto que soy. Deberían escuchar mis canciones y pagarme. O al menos estudiar mi comportamiento y darme de comer como a un tigre. No tengo inconveniente alguno en que me encierren en una jaula, me arrojen un bocado cada tres horas y me traigan una hembra de vez en cuando. No importa si se trata de una hembra de otra especie. Mejor si es de una especie tolerante y callada. También me gustaría un invierno con nieve cálida, un abrigo marrón y que Flecha Verde existiera y fuera mi mejor amigo.

A las siete me encontré con Aisha. Fuimos al parque y me contó su emocionante día de trabajo. Metí la mano por debajo de su falda. Se enojó. Forcejeamos. Metí la lengua en su boca. Aflojó el cuerpo. La acaricié a fondo. Se puso caliente. Metió su lengua en mi oído. Dijo que me seguiría donde quisiera. F estaba en el apartamento y por desgracia no tenía suficiente dinero para un motel. Le dije que la esperaba en el apartamento a las nueve de la mañana del día siguiente. Dijo que sí. Todavía estuve hurgándole el sexo un rato más. Su cintura era una estrechez luminosa, un vértigo desconocido. De cerca seguía oliendo a cebolla y vómito de bebé.

11

Encendí la tele y puse el canal 7. F estaba arriba leyendo revistas y fumando marihuana. Cada tres minutos le daba un ataque de tos. Pasaban una película mexicana (creo que ver un ratón orinando sería más emocionante). Tocaron a la puerta. Abrí. Era Zeta. Estaba borracha y traía en una mano una botella de whisky y en la otra una flor. La dejé pasar. F bajó, sólo se había puesto una franela. La franela le quedaba corta y su ajado y tembloroso trasero quedaba al aire. No era bueno para la vista ni para el corazón. Zeta se había detenido en mitad de la sala: alta y bella, inmóvil como un faro a medianoche en mitad del Caribe, y aquel monstruo baboso enfrente recriminándola. Zeta no le puso atención. Apagué la tele. F le dijo que se largara. Zeta se puso a bailar tarareando una canción, una vieja canción de Roberta Flack que habla de peces y ramas estrujándose en secretos bosques. F parecía más que nunca un pedazo de infame realidad, sólo hacían falta unas cuantas moscas zumbando cerca de su hocico. Zeta me pasó la botella y bebí un largo sorbo. Se la pasé a F y la rechazó. Le dijo a Zeta que se fuera al demonio con su botella, su flor y su luto (pensar que se lo había metido a aquella cosa me dio escalofríos. Pensar que… aaarrrgggg). Zeta se puso a mimar al monstruo, le decía:

—Bebe un poco, nena. No seas una mala mujer —le acariciaba la cara como si fuera un cojín de terciopelo. La gorda no hizo ningún gesto, sólo era una mancha blanca y azul, una mancha sin nervios—. Bebe un poquito…

F se dio más y más importancia. Zeta estaba llorando. F bebió entonces, bebió tres pequeños buches. Zeta trató de besarla pero la gorda la esquivó. Estaba allí, jugando con Zeta como una orca con el pececillo dorado. La gorda maldita buscaba deshacer el blando y mojado corazón de su víctima. Usaba su poder, su gran dosis de dominio, en forma implacable. Machacaba el alma de Zeta, y para una plasta de su calaña debía resultar muy placentero. Jalé a Zeta por el brazo y la obligué a bailar conmigo. Se dejó llevar, su boca se pegó a mi oreja y llenó mi mente de calor y palabras dolidas. Cerré los ojos y me sumí en Zeta, su piel olía a madera, su cuerpo era recio. F dijo que tenía sueño y Zeta me dejó para seguir mimándola. F se tumbó en el sofá y Zeta se arrodilló ante ella. Se besaron largamente, F acariciaba las tetas de Zeta. Me sentí fuera. Bebí otro sorbo sin saber qué actitud tomar. F le quitó el vestido y el brasier a Zeta, empezó a calentarla. Zeta suspiró una y otra vez. El cuerpo de Zeta era magia negra, era gimnasia rítmica, cereal crudo y suerte, mucha suerte. Era un cuerpo de 27 años, ni uno más. Zeta le había quitado la franela a F y era lamentable: rollos sobre rollos. Pero la quería, le sobaba aquellas cosas con amor y deseo. Metía su lengua entre los rollos y por más que me esforzaba no lograba entenderlo. Me saqué la picha que estaba tiesa y caliente como un tizón de leña. El trasero de Zeta estaba a dos metros y hacia allí apuntaba la picha; aquel trasero parecía llamarla. Empiné la botella y fui hacia esas nalgas. Las apreté. Zeta seguía besando a F, mis manos en su trasero no parecieron molestarla así que metí un dedo en su culo. Lanzó un breve quejido. Puse la punta de la picha en el borde de su sexo y la fui empujando lentamente. Me moví atrás y adelante sin prisa. F detuvo a Zeta y me miró allí pegado. Zeta se sacó la picha con dos dedos. La picha quedó vibrando en el vacío. F propuso que nos fuéramos todos arriba. Mientras subía me quité la camisa y los pantalones.

F dirigía la cosa. Yo la metía aquí y allá. Zeta me chupaba la picha y F el culo; eso era electricidad pura. F le restregaba su chocho en la cara a Zeta. Los chochos de F y Zeta se frotaban y ellas gemían al tiempo. Zeta estaba arriba de F y yo se la hundía a Zeta por detrás. F era un pulpo, lo agarraba todo, lo chupaba todo, quería todo dentro de ella. F y Zeta se acariciaban con pericia, conocían a fondo sus cuerpos y sabían elaborar y compartir profundas sensaciones. Yo lo metía aquí y besaba allá, trataba de tener a Zeta y Zeta a F y F todo. Quería integrar mi cuerpo al de ellas pero me *traicionaba* buscando a Zeta, rompiendo el trío, con miedo a perderme en los rollos. Ellas usaban mi cuerpo como un juguete que las conectaba. F me pidió que se lo metiera por el culo y lo hice y traté de disfrutar aquel culo pero la vista se me iba hacia el otro. F chilló un poco y luego empezó a reír. Zeta metió su dedo en mi culo. Me sentí extraño, incómodo. Ella empezó a mover el dedo dentro de mí mientras me susurraba al oído que lo soltara. Respiré con fuerza y el dedo se fue al fondo y empecé a disfrutarlo. La picha pareció crecer dentro de F y ella tuvo un orgasmo que la sacudió de pies a cabeza. Aguanté el embate para no venirme, el semen se estrelló contra la cabeza de la picha y regresó al laberinto. F se puso boca arriba y abrió las piernas, Zeta se acomodó sobre ella. La tripa de Zeta estaba del tamaño de mi pulgar. Zeta se frotó contra F. Mientras lo hacía hablaban, compartían pronósticos y llamaban a las partes de sus cuerpos por nombres secretos. Las observé como a través del cristal de un enorme acuario. Sus besos eran minuciosos, ninguna trataba de imponerse, sólo estaban allí, buscándose. De repente Zeta gritó: *¿ME TIENES?* Y F respondió: *TE TENGO, NENA. TE TENGO.* Sus cuerpos se elevaron unos centímetros de la cama y luego cayeron fundiéndose. La gorda parecía en trance, repetía sin parar: *Soy una puta, una puta.* Le pasé la botella a Zeta que bebió un trago y luego sostuvo un buche y lo dejó caer en la boca de F. La tregua no duró mucho. F se zampó la picha de un bocado, sus dientes rasgaron un poco la piel obligándome a sacarla. Zeta le hablaba de amor a F y F le decía que el amor era un bagazo, que no quería límites, que deseaba ser penetrada por mil pichas y frotada por mil chochitos multicolores. Zeta me ignoraba un poco pero yo seguía chupando sus invencibles tetas. F me dijo que le diera a Zeta. Zeta se tendió boca abajo y se lo metí tan hondo como pude. Su cuerpo estaba caliente y tenía buen sabor. Su cuerpo era excelente, carne de primera, lomo fino, algo que los perros no comerán jamás. La picha parecía insuficiente para aquel cuerpo, necesitaba más, necesitaba espinas como un gato. El semen amenazaba con salir y mi mente le decía: *aún no, déjame llegar al otro lado.* Pero el otro lado estaba muy lejos y ya no pude resistir, entonces hundí el acelerador a fondo y escupí dentro de Zeta y Zeta dijo: *Aahh, aahh, ¡aaahhh!* y se vino conmigo y fue grandioso. F se había quedado varada viéndonos llegar. En pocos segundos la picha se achicó y salí de la cama. Me senté en un rincón con la botella y observé a las dos mujeres restregarse hasta el amanecer. Me sentí algo aburrido, algo triste e inútil.

12

—Una necesita su ración de pene de vez en cuando —dijo Zeta.

Estábamos desayunando como una linda familia. Hablaban sobre los hombres. Zeta siempre había tenido relaciones mixtas, incluso mientras estuvo casada. F había sido una mujer corriente hasta que se fue quedando sola: los hombres la habían exprimido cuanto pudieron y el odio y la desconfianza hicieron presa de ella. Liarse en lo sentimental con tipos estaba fuera de su órbita; el daño estaba hecho y no había forma de repararlo. Zeta decía que las mujeres le daban más placer, que el sexo con hombres era fiambre. Ella amaba a F pero su relación estaba en un bache. F decía que Zeta la había ido cercando, que se inmiscuyó demasiado en sus asuntos hasta no dejarla respirar. Zeta reconoció que no se sentía segura de F y tenía miedo de perderla. F le recordó que no estaban juntas para jugar a lo mismo, que repetir el esquema hombre-mujer sería lo peor. Lo último que necesitaba era una presencia dominante en su vida. Quería una amiga para frotarse y compartir sin exigencias. Zeta le preguntó si compartirme a mí estaba en el plan. F dijo que los accidentes ocurren y yo era uno. Zeta dijo que le gustaban los accidentes con buen pene. Le pregunté qué opinaba del resto de mí.

—Eres un hombre —dijo Zeta.

—¿Y eso es bueno o malo?

—Son todos unos hijueputas —dijo F—. ¿Sabes lo que hacen?

—No —dije.

—Lo meten —dijo F.

—Sí —dijo Zeta—. Y luego lo sacan. Punto.

Zeta había hecho el desayuno: huevos pericos, patacones y jugo de níspero. Tenía puesta la franela de F. Sus pezones se marcaban en la tela. Sentí deseo, pensé: *estoy enamorado.* F le dijo a Zeta que yo era un *ganso* con carisma; ella no pareció creerlo. F le habló de mis canciones y Zeta dijo que su cantante favorito era Paolo Conte. Zeta era voluble: uno la sentía cálida y amorosa y al instante siguiente se iba al Polo Norte. Las miré comer. Dos señoras maduras. No eran lesbianas de verdad; sólo un par de tipas decepcionadas. Habían amado y tenido ilusiones y hombre tras hombre las habían perdido. Una noche se encontraron por allí y hablaron de sus vidas y se cogieron de las manos y dijeron: *Estemos juntas.* Pero la gorda se había cansado. La relación mujer-mujer también era mugre y dominio. Recogí los platos y los llevé a la cocina. Zeta vino y me ayudó a lavarlos. Le pregunté si podía besarla. Dijo que no. Insistí. Dijo que la dejara en paz. Me sentí humillado.

—¿Te pusiste mal?

—No —dije—. ¿Qué carajo es un beso?

—Se trata de un beso mío —dijo.

—¿Quieres bacilarme? —negó con la cabeza y sentí el calor que despedía su boca—. Está bien, me siento mal. Me muero de ganas por un beso.

Ella me tomó de los hombros y aplastó su boca contra la mía pero su boca estaba otra vez en el Polo Norte. Me aparté.

—Casi siempre que una mujer dice no, significa NO.

Me sentí rebajado pero me consoló saber que lo merecía. ¿Por qué putas nos pasábamos la vida forzando las situaciones? Sin embargo, quería ese beso y lo quería en el infierno, no en el Polo Norte. Le ofrecí disculpas. Volvimos al comedor. F estaba en el baño. Zeta jugaba con un mechón de su cabello, no parecía lo que era. ¿Y si en el fondo quisiera ese beso? Cruzó las piernas y la franela se fue hacia atrás dejando ver el inicio de su sexo. No podía apartar los ojos de allí. Ella estiró la franela y la aseguró en sus rodillas. Levanté la vista y nuestros ojos se encontraron.

—¿Te sientes enamorado?

—Mucho —dije.

Zeta inclinó el cuerpo hacia mí y me besó, traté de retenerla pero se puso dura y fría como un tótem. Pensé: *¿por qué es así? No voy a dañarla, sólo quiero un romance.*

—Si muere el encanto es peor —dijo.

—¿Cómo sabes que morirá?

—Lo sé —dijo.

F salió del baño y se acostó en el sofá. Zeta se le unió. F me pidió que le bajara un cacho de marihuana. Subí y traje el cacho. Me senté en el piso frente a ellas. El olor a marihuana invadió el apartamento. Acaricié el pelo de Zeta. F dijo:

—Ten cuidado, cariño.

Zeta rió y besó a F en la frente. Quizá Zeta fuera una bruja después de todo.

—Eres mala —dije.

—Lo es —dijo F.

F acariciaba el trasero de Zeta, su actitud ahora era amorosa. Zeta estaba mirándome raro. Pensé: *su cerebro es humo.* F y Zeta parecían compartir un crimen secreto. Acaricié el pie de Zeta. F me pasó el cacho, lo chupé dos veces y se lo pasé a Zeta. Zeta lo chupó a fondo, sus ojos se achicaron. F dijo que los hombres sabían muy poco de mujeres, que tenían una falsa idea, que la mente femenina era oscura y densa como un pantano. Mi mano acariciaba la pierna de Zeta. F agregó que la mente femenina funcionaba diferente y que los hombres éramos incapaces de imaginarla. Mi mano llegó al sexo de Zeta y ésta dijo que debía irse a trabajar. Se levantó de prisa y subió seguida por F. Me quedé sólo. Ellas se movían de tal forma que no dejaban espacio para asirme. Sus mentes trabajaban juntas y la mía quedaba afuera igual que mi cuerpo. Zeta bajó vestida y fue al baño. Esperé un momento y luego le toqué la puerta.

—No jodas —dijo.

Toqué más fuerte. Abrió. Entré. Estaba cagando. Su mierda olía a whisky y basura. Me pidió salir. Le acaricié la cabeza. Le dije: *Te quiero tanto*. F gritó desde arriba que estaba sonando el timbre. No hice caso. Me desnudé. Zeta me frotó la picha. Me agaché para besarla y dijo que siguiera de pie. Metió la picha en su boca y con la mano me hizo venir en un minuto. Se tragó el semen y dijo que por favor saliera. Traté de besarla, me mordió el labio inferior hasta hacerlo sangrar.

—¿Qué putas te pasa?

—¿Todavía no entiendes? —sus ojos eran dos pequeñas y heladas líneas—. DÉJAME CAGAR EN PAZ.

Recogí la ropa y salí, afuera estaba F. Me dijo que la empleada del apartamento vecino había venido a preguntar por un tal Eric David.

13

Aisha estaba emputada por lo del nombre falso y todas las mentiras que podía haber detrás. Le dije: *Aisha, querida, esa gorda infeliz te odia porque eres bella. Esa gorda está enferma del corazón. Esa gorda se está muriendo ahora mismo y no sabe lo que dice. Me llamo Eric, amor. ¿Cómo más podría llamarme? Ella está mal de la cabeza porque consume drogas.*

—Creo que eres su amante —dijo Aisha.

—¿Cómo puedes imaginarlo siquiera? —pasé la mano por su áspero pelo y recordé lo suave que era el de Zeta—. Jamás tocaría a esa gorda.

—¿Y si yo fuera gorda?

Me quedé pasmado. Pensé: *hasta una sirvienta me plantea dilemas metafísicos. El mundo ya no es un lugar seguro y yo componiendo canciones.* Aisha, con las manos en la cintura, esperaba mi respuesta.

—Es diferente porque te amo —se relajó un poco—. Te amaría aunque se te cayeran todos los dientes.

—Yo no —dijo ella.

Estábamos en las escaleras. La gente subía y bajaba. La gente olía a muchas cosas. Aisha a cebolla, vómito de bebé y manteca quemada. Aisha pies grandes, pelo de estopa y manos de leñador. Pero tenía que metérselo y desentrañar el misterio, si no lo hacía me iba a quedar un hueco en el cráneo. Le dije:

—Aisha, vamos allá.

—Tengo miedo… ¿De verdad te llamas Eric?

Asentí y la agarré de la mano. Dijo que no me creía. Su boca era grande, tenía restos de comida en los dientes. Mucha comida había entrado por ahí pero jamás algo luminoso. Dijo que yo era raro.

—Lo soy porque te amo.

—No juegues conmigo, Eric.

Pensé: *la tele es un peligro. Cuántas sirvientas más en este largo y ancho mundo repleto de comerciales de margarina hablarían entornando los ojos de esa forma.*

—¿Qué te asusta?

—Se dicen muchas cosas de doña F.

—Te juro que no es mala, sólo se está muriendo.

—Puede hacer que me echen.

Respiré aliviado. Era buena noticia saber que su miedo no tenía nada de metafísico. Quería, como cualquier mamífero que se respete, conservar su empleo.

—¿Vienes o no?

—No tengo mucho tiempo.

La agarré de la mano y la conduje al apartamento. Cerré con llave y puse el cerrojo. Nos sentamos en el sofá. La besé detrás del cuello. Se puso reacia. Pensé: *¿qué pasa contigo? Eres sólo una zorra lava vómitos. Algún día ganaré el Grammy y podrás contarle a tu mejor amiga.* Mi mano se deslizó entre sus muslos y ella la detuvo.

—¿Qué pasa?

—Vas muy rápido —dijo.

Pensé en dejarlo pero mi verija decía otra cosa. Mi mente y mi verija forcejearon: mi verija acusaba a mi mente de hipócrita y mi mente sentía vergüenza por el escaso criterio de mi verija.

—¿No quieres hacerlo?

—¿Por qué tienes las uñas así?

Tenía una de mis manos entre las suyas. Miré mis uñas: Estaban recortadas y limpias.

—Así me gustan.

—¿Y tu familia?

Otra vez me había perdido. ¿Adónde quería llegar? Sólo quería un polvo y ella actuaba como si le estuviera pidiendo visa para USA.

—Murió en un incendio —dije.

—¡Dios mío! —volví a tocar sus muslos. La besé en la boca. Parecía absorta—. Mi mamá también murió quemada.

—¡Dios mío! —mi mano estaba en su sexo, se recostó en el sofá—. Hemos tenido mala suerte.

Empezó a llorar. Su mente no captaba ironías, era perfecta. Se dejó besar y tocar pero sin responder. Puse mi boca en su oreja y le dije: *Voy a cambiar tu vida, voy a vivir contigo.* Aflojó el cuerpo. Traté de quitarle la blusa. Me dijo que no quería hacerlo. Le dije: *No haremos nada.* Le quité la blusa y chupé sus tetas. Eran más grandes y duras que las de Zeta. Ella siguió ajena. Le metí la lengua en el oído, lamí su cerebro; sabía a trasero de bebé. Pasé mi lengua por su garganta. Estaba llenándome de porquerías sin obtener reacción. Era como estrujar un trozo de carne sin alma, carne que había pasado demasiado tiempo en el cuarto frío. Chupé otra vez aquellas tetas morenas. Nada. Nada. Metí mi dedo en su chocho que estaba seco como la boca de un cadáver bajo el ardiente sol. Dibujé figuras sobre el gallito. Cero. No podía entenderlo. Puse su mano en la picha. Pensé: *ten piedad.* Su mano quedó tan inmóvil sobre la picha como una paloma muerta sobre el asfalto.

—¿Querías a tu mamá?

—Claro —dije.

—¿No la extrañas?

—Claro —repetí y de pronto tuve un panorama general de la escena como si mi cuerpo astral hubiera salido y me observara desde arriba. Un cuerpo astral asqueado que veía a su pequeño hombre ruin jugando con el dolor de aquella sirvienta—. Vamos afuera.

Me acaricia el cabello y recuesta su cabeza contra mí. Su pelo me lastima la cara. Mi deseo se esfuma, sólo quisiera echar marcha atrás y no haberla conocido. El reloj en la pared hace tic-tac y su cabeza empieza a pesarme. Ella se quita la falda, se levanta y sube las escaleras. Su trasero tapa a mi cuerpo astral y enciende al pequeño hombre ruin. Subo. Está en la cama de F. Su cuerpo es magnífico.

—Pero sólo por detrás —dice.

Mi mente se apaga, mi corazón late más a prisa que el reloj, mi verija sonríe. Quizá ella es la reina de la ironía y su madre vive en Alaska. Mientras me acomodo tras su trasero sigue repitiendo un libreto que es pura tele de media tarde. Me aferro a su cintura y le doy con sevicia a su prieto culo. Ella babea y dice: Aaiiissss. Eso es todo.

14

Aisha se ha ido. Estoy lavando la picha. El olor a vísceras es terrible. Pensé que lo hacíamos de esa forma para proteger su chocho virginal. NO. El tipo del apartamento vecino y su hijo de 17 años se tiran a Aisha de lo lindo y tiene el chocho irritado. Simplemente me ofreció el trasero porque no soportaba una picha más por delante. Su chocho está en descanso. Punto. Incluso me dijo que apenas volviera a estar en servicio me avisaba. ¿Por qué el deseo es así? Cuando vas por música obtienes ruido y cuando estás listo para gozarte el ruido te dan silencio por toneladas. Aisha tiene un bello cuerpo pero es una sirvienta y no puedo amar a una sirvienta. Aisha es bella, lo era antes y después que lo hicimos. Sólo que después ya no me importaba un pito su belleza. La mujer es la misma pero apenas eyaculas pierde sentido. Daría igual si fuera una chupa o una escafandra. Quizá si me llamara Eric y vendiera máquinas de coser podría quitársela a los coyotes vecinos y darle la vida que merece… Y soy quien habla de coyotes: el jefe de la manada que no tuvo reparos para manipular su estrecha mente. ¿Dónde rayos estará mi cuerpo astral ahora? Escribo canciones sobre intangibles y apenas veo un trasero actúo peor que un estibador borracho. Observo cómo el agua arrastra los detritus hasta el desagüe. La picha está limpia otra vez. ¿Y el resto de mí?

Me gustó cómo hacían el amor F y Zeta, lo que hablaban mientras se procuraban placer, los cambios de ritmo. Ese saberse de memoria sin que una tuviera que someter a la otra parecía lo mejor. Más que sexo eran como abrazos y empujones de amistad, como dos hombres borrachos tratando de llegar a casa. Y disfrutaban los detalles y había palabras fuertes envueltas en ternura. F parecía más voraz. Zeta se dejaba llevar. No tenían prisa ni parecían tener límite. Sólo el cansancio podía vencerlas pero también el cansancio hacía parte de su placer. Desde el rincón, ya sin ansia, había observado aquellas criaturas sin encontrar nada cruel ni sospechoso. Al quedarme dormido, entre sueños, seguí escuchando sus roces, sus palabras cada vez más íntimas, más por dentro.

Suena el teléfono. Es mi hermana. Quiere que nos veamos en la Catedral. Intercambiamos las frases de costumbre y luego hay un pesado silencio. Sé que está preocupada por mí y que mi cuñado no cede un ápice. Bien por él. F entra y se tira en el sofá. Está agotada. Dice que está harta del Banco, que no quiere seguir así, que planea darse una vuelta por el mundo.

—El aire acondicionado me está matando —dice mientras arma un cacho de marihuana—. ¿Ha llamado Zeta?

—Dos veces.

—Me fumo esto y la llamo.

Mientras se fuma el cacho F habla de recorrer el Amazonas, adentrarse en Brasil, seducir nativos de ambos sexos y escribir el guión de una película sobre por qué no deberían existir los bancos. Cuando pregunta por mis planes no sé qué decirle. Habla del espacio, de que ella y Zeta van a tratar de solucionar sus cosas y es mejor que estén solas. Le pido un par de días y dice que no hay prisa pero sé que la hay.

La Catedral es un montón de piedra donde orinan a medianoche los vagos y dementes. Adentro hay bancas, el altar, figuras de yeso y cuadros alusivos a la desesperación y la angustia que tanto fascina a los católicos. El cura alaba el dolor y le pide a sus feligreses que lo cultiven como una joya. Éstos se ponen en pie, se sientan, se arrodillan y le hacen coro al mensajero de su terrible Dios. Siento vacío. No imagino a Dios escuchando aquella música. Un verdadero Dios se inclinaría por el *blues* que puede ser melancólico pero también desfachatado y libre. Un verdadero Dios tendría swing porque sabe que debido al swing los delfines se suicidan y los cuervos son monógamos. Un verdadero Dios no condenaría que dos mujeres se froten y un hombre embauque a una sirvienta por no encontrar su ninfa. Ese Dios sabría que todos aquí estamos perdidos en la corriente y algunos ni siquiera podemos evitar lastimar y ser lastimados. Mi hermana llega y cuando voy a salir me pide esperar hasta el final. Salimos y afuera me da el dinero. Habla de estudios perdidos y de que un trabajo, por humilde que sea, afianza la dignidad. Le pregunto por la niña y dice que está en casa, que el amante padre no le permite ver al fracasado tío. Quisiera decirle que huya con la niña, que se aleje cuanto sea posible del marido. En cambio le pido darle besos a la niña de mi parte y saludar a la bestia. Ella sonríe y me confiesa que voy a ser tío de nuevo. Miro su vientre donde todavía no hay señales y siento vértigo.

—Me alegro por ti —digo.

Se despide con un breve sermón sobre la importancia de tener pareja estable y lo fácil que cambia la vida con sólo tener un hijo. La veo perderse entre la gente y aunque la quiero me cuesta entender que ella sea mi hermana.

Un bar. Una cerveza. Las tetas de una mesera agachándose. ¿No había otra cosa más en el mundo? Tetas en la tele, en las

revistas, en las vallas publicitarias, en la Catedral. Tetas cruzando la calle y entrando a los estadios. Sí, el mundo era sólo un inmenso supermercado de tetas y los hombres nos pasábamos la vida tratando de mirar el mayor número de tetas posibles, de tocar el máximo de tetas, de chupar toda teta que estuviera al alcance. Otra cerveza. Tienen pantalla de video. Fútbol en directo. Gol. Y en los comerciales más y más tetas. Tercera cerveza. La mesera se llama Diana. Cerveza para ella que se anota en mi cuenta. La noche se alarga como un tranvía en Siberia. Goooool. Los extraños se abrazan como amigos de toda la vida. Gol en contra. Los extraños se miran y se culpan. Vacío de tiempo. Salgo.

F dice que llegó la hora. Ya sabe lo de Aisha. Los edificios son engendros de mil ojos y mil bocas. La cama está sucia de sangre ajena. Los dos días se reducen a dos horas. Zeta no quiere saber de mí. Lo que más le duele es que sea una sirvienta. Recojo mis cosas. F me da un poco de dinero que no puedo rechazar.

—Te lo devolveré.

Parece triste. Es una gorda buena. Zeta arriba la azuza. Discuten.

—No tiene adónde ir —dice F.

—Que se vaya con su sirvienta —replica Zeta.

Le doy un abrazo a F y se pone a llorar.

—Se le pasará —dice.

Salgo y F cierra. El pasillo está vacío pero presiento los mil ojos tras cada persiana. Quisiera saber de Aisha pero no me atrevo a preguntar, odiaría saber que la echaron. Abajo los porteros me miran como un perro apestado. Saben que ya no tienen que llamarme señor, que perdí todos los privilegios, que ni siquiera puedo compararme con ellos. La brisa de la noche me pega en la cara, la pequeña ciudad crece mientras avanzo y sopeso las alternativas. Hay puertas y ventanas por todas partes, algunas están abiertas pero no para mí. En los balcones la gente se asoma y murmura. Veo a las personas que caminan a mi lado o vienen en dirección contraria pero nadie más parece extraviado. Puertas y puertas y yo afuera. Me detengo en una esquina para contar el dinero. Voy a la zona de hoteles baratos y encuentro el mío, incluso tengo baño privado. Me piden firmar. Eric David. Un aviso indica que allí se paga por adelantado. Recibo mi llave. El conserje dice que no quiere ruido ni drogas ni mujeres en el cuarto a menos que pague la cuota extra. Avanzo por el pasillo que hiede a orines y cerveza. De las habitaciones escapa una desenfrenada y desigual música, algunos gritos y el olor a yerba. Una mujer desnuda me cierra el paso para pedirme un cigarrillo. Le doy tres y sigo. Ella me da el número de su habitación por si quiero visitarla más tarde. Su trasero quizá aguante una arremetida pero sus tetas son un desastre. Entro al mugroso cuarto y me tumbo en la cama sin quitarme la ropa. Miro el cielo raso lleno de manchas y telarañas. Lentamente el dolor me abandona y en la oscura pantalla de mi mente escribo mi nombre.

(ELODIE'S BLUES)

0

Escribir canciones puede ser un trabajo arduo: para los fabricantes de grumo es cuestión de minutos y en Miami los hay como moscos. Hasta un computador bien programado puede hacer doce canciones en un tiempo récord. Pero cuando se trata de una canción real se corren todos los riesgos. ¿Qué cosa es una canción real? No se puede responder a eso; todos los que aman una canción y la han amado a lo largo de su vida saben de lo que hablo. Mi método es simple, en general empiezo con una imagen y luego habrá un par de frases que tararero día y noche. Es fácil caer en la tentación de sacar los acordes y buscarle un sentido a las palabras para que revelen amor y desazón. Prefiero darle largo al asunto y pensar en el origen de esa primera imagen y descubrir poco a poco las sensaciones que al final le darán forma a la historia. Hablemos de la canción en la que trabajo ahora y cuya imagen inicial es una mujer gorda atrapada en el baúl de un automóvil. Para nadie es un secreto que la mayoría de las gordas tienen caras bonitas o al menos agradables. También suele decirse que son tiernas y confiables. *Las gordas nacen y no se hacen* dice un estribillo popular. Desde afuera todo se ve mejor y seguro quien no haya estado atrapado en 150 kilos de grasa puede afirmar que ser flaco tampoco hace la diferencia. Me pregunto qué dirías si eres un pequeño corazón al que la grasa va tapando día tras día sus arterias.

Volviendo a la imagen de esa mujer atrapada en el baúl debo confesar que desde la adolescencia me he sentido atraído por las gordas. Nunca se lo dije a nadie porque unida a esa atracción había vergüenza y sentido de culpa. Quizá esa vergüenza esté representada en el baúl que encierra a la mujer. He conocido a varias gordas y con tres de ellas tuve sexo y creo haber amado a una. Sin embargo, la idea de esta canción no es hablar del amor a las gordas sino explicar qué significa ser gorda y si puede haber goce estético en la relación con una gorda y me refiero a las gordas del tipo F. La gorda que creo haber amado tenía cada cosa en su sitio sólo que más grande y blando de lo normal. F no tenía nada en su sitio o ella era el sitio donde nada encontraba lugar. A pesar de haberme dado la mano fui injusto con ella como solemos ser en la vida y di por sentado que entre dos mujeres la gorda es la mala. Para mí era lógico entonces que F no podía rechazar ni quejarse por nada, que cualquier cosa era demasiado para una gorda como ella. No la veía como persona sino como una bola de sebo parlante. Imaginé un nombre para la gorda del baúl: Elodie. Hace algunos años conocí a una chica belga con ese nombre y tuvimos cierta relación que jamás derivó en algo sentimental y mucho menos sexual. Esa chica era bella o al menos lo parecía. De mediana estatura, morena y con el cabello lacio. Sus tetas no estaban mal y sabía moverse. Había acumulado información y pretensiones como estudiante de antropología o alguna cosa por el estilo. Hablaba varios idiomas y estaba en Ciudad Inmóvil porque le encantaba la vitalidad caribeña y su madre era de origen cubano. Con su jerga académica, su voz pausada y sus tetas puntiagudas no tardó en convertirse en una celebridad a la que seguían todo el tiempo una bandada de abejorros encabezados por un tal Laurence. Ella, por supuesto, les ronroneaba a todos y no le daba chance a ninguno porque entendía que para convertirse en mito una chica debe mantener las piernas cerradas. A mí me gustaba Elodie con toda y su mente repleta de citas inútiles. Una tarde me invitó a cenar en su apartamento. La observé cocinar raíces mientras hablaba con propiedad de música medieval. Tenía puesto un vestido blanco y no llevaba nada debajo, sus pies descalzos iban y venían de un lado a otro y su trasero y tetas se marcaban en la delgada tela. Cuando terminamos de comer fuimos a la sala. Ella se sentó en la hamaca y yo en el piso frente a ella. Fumamos un bareto en silencio y después habló de su madre que vivía en un barrio de Londres y estaba deprimida porque había aumentado tres kilos.

—¿Qué edad tiene?

—Eso no importa, ella lo hace por mi padre. Él odia a las gordas, no soportaría verme como estoy ahora.

—¿A ti? ¿Qué más flaca podrías ser?

—No conoces a mi padre.

—¿Es flaco?

—En invierno podría alquilarse como muñeco de nieve —dice y ríe—. Come y bebe como un cerdo, sólo se interesa en el peso de mi madre.

—¿Por qué las odia?

—¿Qué hombre conoces que aprecie a las gordas?

Sonreí pensando en la admiración que despertaba; quizá supiera mucho de Franz Boas o Indiana Jones pero en cuanto a los hombres estaba frita. Ella también estaba sonriendo.

—¿Por qué sonríes?

—Sé lo que piensas —dijo mirándome con desdén—, pero ten en cuenta que los mismos hombres que se casan y tienen hijos con gordas pueden practicar la caza deportiva.

—Es absurdo —dije y agregué (sólo para dar batalla)—. Si alguien va de caza cuarenta y pico años es por algo.

—Mentira —dice e impulsa la hamaca con los pies. Su cuerpo va y viene, sus rodillas me rozan la cara—. Lo que nos mantiene unidos rara vez es el amor; en el caso de la gorda, a los líos con la ropa o meter el trasero en la silla del cinema, debes agregar el sentir que merece ser odiada.

—¿Has sido gorda alguna vez?

—No, pero soy mujer y lo entiendo.

—¿Crees que soy incapaz de entender a una gorda?

Elodie saltó de la hamaca y cayó sobre mí, rodamos por el piso. Antes que pudiera reponerme ya me había clavado las uñas en la cara y trataba de morderme el brazo. Como pude logré controlarla.

—Suéltame —dijo con voz ronca. Todavía temblaba por la rabia. Intentó zafarse—. Que me sueltes, estúpido.

Dejé libres sus manos y me mantuve atento a un nuevo ataque, pero se quedó inmóvil con la vista perdida en el vacío. Mi mente trataba de encontrar respuesta a su actitud y de repente lo supe... Sin decir palabra salí del apartamento. Quienes hayan seguido con atención lo que dice Andy Gibb en *I just want to be your everything* sabrán que las ardientes heridas que tenía en la cara eran poco castigo para mi indolencia.

00

La gorda que creo haber amado tenía una preciosa voz y pezones rosados. Antes de tener sexo solía cantar y yo cerraba los ojos y la imaginaba a través de su voz: lentamente se hacía delgada y sus tetas subían hasta que sus pezones apuntaban bien alto. Sin abrir los ojos empezaba a acariciarla y la imagen delgada trataba de imponerse a los relieves de su cuerpo. Mis manos buscaban algo duro a qué aferrarse pero se perdían en aquel blando planeta, en aquella dulce torta de cumpleaños y luego...

—Tranquilízate —decía ella—, igual podemos ser amigos.

—Quiero hacer otro intento.

—Me duelen los ovarios.

—Oh Dios, debería amarte.

000

Ella tenía buen humor, estaba exenta de ínfulas y la traía sin cuidado Dolce & Gabbana. Era tan linda de alma que me entraban deseos de comer hasta pesar 120 kilos para desparramar mi grasa sobre la suya. Juntos podríamos construir una ciudad sólo para gordos de 120 kilos, cualquiera que pesara menos sería considerado un flaco infame. Los edificios y autobuses serían redondos y el hipopótamo desplazaría a perros y gatos del oficio de mascota.

—¿Subirías 70 kilos por mí?

—Cien si fuera necesario.

—No hablas en serio.

Mi sexo chapoteaba dentro del suyo. Flap, flap, flap. No veía placer en sus ojos, sólo cariño y pesadumbre. Flap, flap, flap...

—¿Hacemos otro intento?

—Mejor lee esto.

Era una revista gringa. En la portada estaba un hombre que debido a un terrible accidente de alpinismo había perdido brazos y piernas. Antes del accidente trabajaba como empleado en MacDonalds y ahora estaba en el puesto 122 entre los millonarios de Forbes. Había amasado su fortuna diseñando ropa para mutilados, las continuas guerras y atentados lo proveían a diario de nuevos clientes. La noticia no era esa, sino que aquel hombre había decidido hacerse la liposucción para mejorar su aspecto derivándose de esto una polémica. Él decía que antes de perder los miembros era alto y atlético, pesaba 83 kilos que se redujeron a la mitad. Ahora, pasados diez años del accidente, la báscula marcaba 90. Defendía su derecho a sentirse bien con su figura, sobre todo teniendo en cuenta lo restringida que era su figura.

El artículo venía acompañado de fotos y en verdad aquella espantosa gelatina millonaria había tenido en su día un cuerpo de lujo. La operación era considerada por los médicos de alto riesgo. *Es como si una medusa quisiera convertirse en anchoa* aseguraba el cirujano plástico John Smith. La medusa en cuestión descalificaba a los médicos gringos y anunciaba que iría a Brasil. Por supuesto, también escribiría un libro sobre los pormenores que ya tenía título: *¡Quiero mis abdominales de vuelta!*

0V

Flap, flap, flap... son las notas iniciales en que trabajo. Meter en unos pocos acordes y algunas palabras la experiencia con ella no será fácil, quizá sea imposible. Lo que cabe en las canciones es la ausencia de algo o alguien; las verdaderas canciones nos recuerdan que algo falta y si algo falta es porque no fuimos capaces de retenerlo. Si eres gordo sabrás que este mundo es estrecho y el amor casi nunca se impone al mundo. Las gordas en las películas son interpretadas por flacas que suben 40 kilos y al recibir el Oscar ya los han perdido. Las feas por bellas a las que les basta lavarse la cara. Ser gorda es terrible, ella me confesó más de una vez que su mundo ideal era el fondo submarino y las playas distantes. Me tomó tiempo escribir esta canción y para entonces ya se había ido:

Existe un viejo carnicero / enamorado de un trozo de carne / que puede pesar hasta tres kilos / Cuando la lleva al cinema / la viste de plástico para evitar que gotee / Una noche el carnicero se cortó / brazos, piernas y cabeza / para ponerse en sintonía con su amada / y ella lo dejó por un músico oriental / y ella lo dejó por un vegetariano / porque era una chica sin corazón / un pedazo de carne sin corazón / una rabia absurda sin corazón. Flap / flap / flap.

SEGUNDA PARTE
MIEDO A LA MENTE

1

Mi sobrina solía preguntarse si la Pantera Rosa era hombre o mujer. Parecía una pregunta sencilla pero observando programa tras programa se veía al bicho rosado flirteando con toda clase de criaturas: desde hombrecillos calvos y narizones hasta conejitas rubias y sensuales. Su objetivo era imponer un color y estaba dispuesta a todo por lograrlo. El inspector era torpe y desaseado como cualquier francés. Quizá hasta pudiera acusársele de misógino y xenófobo (como a cualquier francés) pero su sexualidad (a diferencia de la de cualquier francés) no estaba en entredicho. La Pantera en cambio dejaba a su paso un mar de dudas y, como solía decir mi sobrina: *No tiene agujeros aquí. ¿Para qué preguntas tonterías?* reviraba el amante padre de mugrientos calzoncillos (todos rotos en la misma parte) y la niña decía: *Para saber.* En realidad mi sobrina tenía cuatro años y era una máquina de preguntas y chillidos. Sus inquietudes me divertían y trataba de dar respuesta a todas pero el amante padre siempre estaba acusándome de corruptor. Tenía la mente más sucia que los calzoncillos y sólo se acercaba a la niña para prevenirla en mi contra. A la pobre, asustada por los comentarios del padre, no le quedaba otra opción que preguntarse a sí misma. La escuchaba jugando a eso e improvisando respuestas: *La Pantera es un diablo bueno. Mi papá tiene un*

81

cuchillo en el jopo (por los rotos de los calzoncillos, supongo).

Cada vez me intrigaba más la Pantera. ¿Qué cosa era? No hablaba, no tenía sexo definido, no era particularmente sabia o generosa, sus ojos no eran soñadores. Su plan era pintarlo todo de aquel color... su color. Aceptar las diferencias no hacía parte de su carácter. Flecha Verde también me hacía pensar. Era sin duda el más opaco de los paladines, una especie de chivo expiatorio entre los superhéroes. Casi nunca se le tomaba en cuenta, Superman no le dirigía la palabra, ningún niño quería disfrazarse de él. Sus poderes eran escasos y limitados, su otra personalidad daba grima. Las aventuras que tenía eran aburridas y siempre al final algún miembro de la Liga debía sacarlo del atolladero. A veces compartía pista con Linterna Verde y entonces Flecha era nulo. No me gustaba ese cómplice; destilaba arrogancia y saltaba a la vista el desprecio que sentía por Flecha. Viñeta tras viñeta quedaba claro que Flecha no era más que relleno y escenografía para verdaderos superhéroes. Pero tenía agallas: nunca se quejaba, no hacía reclamos a su creador. Cero envidias, cero chismes. Hacía lo suyo y punto. Una vez, creo que acababa de cumplir 15, fui a una fiesta disfrazado de Flecha. Estaba en un rincón mirando a una linda Cenicienta de ojazos negros cuando un pirata flaco se acercó a preguntarme de qué estaba disfrazado.

—Flecha Verde —respondí.

—¿Y quién carajos es ése?

—El amigo de Linterna.

—¿Linterna Verde tiene un amigo así?

Antes que pudiera responderle ya había girado sobre sus talones y se dirigía hacia *mi* Cenicienta. Un Peter Pan gordo se paró a mi lado.

—¿Qué hay, Robin?

—Soy Flecha —dije.

—No, eres el señor Hood.

—¿Quieres problemas?

—Con un ladrón justiciero jamás.

Lo acuellé. Se puso rojo y empezó a patalear. El pirata flaco y la bella Cenicienta vinieron en su ayuda.

—Por favor, suéltalo —dijo ella con angustia.

—¿Es tu novio? —pregunté sin quitar las manos del gordo.

—Es su hermano menor —dijo el pirata aplicándome una llave de yudo por la espalda—. Y está enfermo de cáncer.

De inmediato solté al gordo que se abrazó a ella. El pirata me liberó. Le ofrecí disculpas al gordo y a su hermana. Sus ojos negros me observaban con rabia y curiosidad.

—¿Qué disfraz es ese?

—Robin Hood —dijo el gordo.

—No —dijo ella—. Es el Capitán Garfio y olvidó el garfio.

Rieron. El gordo le propuso al pirata ir por algo de comer. Sin despedirse se alejaron; el pirata y *su* Cenicienta iban agarrados de la mano.

Después de tomar dos rones con cocacola me puse a dar vueltas hasta que Cleopatra me sonrió desde un sofá. Hablamos, tenía edad para ser mi madre y estaba borracha. Bebimos hasta acabar su trago y me propuso ir por más. La seguí dando tumbos. Nos metimos en un cuarto repleto de chécheres y ella dijo que me dejara de pendejadas y besos e hiciera lo que estaba pensando. Le dije que tenía 15 y sacó una de sus tetas. Se tumbó sobre unas cajas y abrió las piernas, no llevaba nada debajo de la falda. Cuando me estaba quitando el traje la corredera se atascó. Cleopatra, sin cambiar de posición, esperó unos minutos a que resolviera mi problema y luego perdió la paciencia.

—Para ser Flash eres muy lento.

—Flecha Verde —dije. El sudor me entraba en los ojos que empezaron a arderme—. El traje de Flash es rojo y tiene alas en las orejas.

—Da igual quien seas —dijo camino a la puerta. La borrachera se le había pasado—. Eres patético.

Apenas salió la corredera volvió a funcionar. Busqué a Cleopatra y no tardé en hallarla; estaba besándose con un apuesto Sandokan.

Para nadie es un secreto que el sexo no es muy popular entre superhéroes o criaturas como la Pantera. Los primeros prefieren defender causas perdidas y el resto tiene obsesiones o se dedican a la crueldad con sus semejantes. Tampoco el dinero despierta su interés y cuando lo tienen no lo usan con un objetivo sexual. Jamás Tío Rico gastaría una de sus adoradas monedas por tirarse a una pata. Lo cierto es que las noches de los superhéroes, panteras y demás monicongos suelen ser solitarias. He conocido gente como ellos en las avenidas de una gran ciudad, iglesias abandonadas y hoteluchos de frontera: gente que no tiene el sexo por religión y es capaz de sobrevivir a solas con su conciencia. Vendedores de milagros perdidos en el desierto o chicas que no pudieron creer en el amor a pesar de tenerlo enfrente y saben que ya es demasiado tarde.

2

Estaba trabajando en una emisora y había alquilado un cuarto a pocas cuadras. No tenía contrato ni trabajo específico; era una especie de auxiliar todoterreno que limpiaba discos, hacía mandados, contestaba llamadas y hasta, en caso de urgente necesidad, interpretaba algún personaje de la radionovela. Las radionovelas habían caído en desuso y ni siquiera el más humilde actor de teatro aceptaba meterles el diente: participar de eso significaba estar en la física olla. La emisora pertenecía a la banda A.M. (otra especie en peligro). Todo estaba desgastado, las palabras del viejo locutor colgaban en el aire caliente como el pellejo de una anciana atleta que levanta los brazos en señal de victoria. Me sentía cómodo allí, no había mayores exigencias, nadie podía jugar a ser importante, todos se estaban muriendo y me trataban con cariño.

—Ey, chico. ¿Sabes cantar?

Me lo pienso un poco. El viejo me observa de pies a cabeza.

—No lo suficiente —digo.

—Eso pensé —dice con expresión socarrona—. Tienes pinta de cualquier cosa menos de cantante. —Encajo el golpe. Pienso: *viejo estúpido, ¿qué sabes tú de cantar? Has estado pudriéndote aquí medio siglo y créeme, afuera pasaban cosas. Hubo una maldita revolución sexual, se inventaron drogas con las cuales podrías estar ahora rompiéndole el trasero a una* quinceañera en vez de sacarte pedos y babas cada noche en el baño. *Zámpate esos desteñidos boleros por donde sabemos y explota de una buena vez...*— Ey, chico, no pongas esa cara. Sólo era una broma. Si hasta te pareces a Ozzy o Jim cuando eran flacos. Sé que cantas, te he oído por allí.

—¿Le gusta Morrison?

—¿Piensas que soy sólo guaracha? —se quita los audífonos y se remanga la camisa, tiene un tatuaje en el antebrazo. Es la boca enseñando la lengua que identifica a los Rolling. Debajo hay una frase que no alcanzo a leer. Me acerca el brazo—. ¿Qué dice aquí?

—*Anfetaminas Joe* —leo.

—Así me llamaban —dice con orgullo—. Trabajé como marino mercante y fui el primero de mis amigos en probar el LSD y tirarme a una rubia de San Francisco que llevaba dos años sin bañarse.

Pienso: *caramba, viejo, perdona. Creí que eras otra momia resentida con ganas de joder... ¿Dos años sin bañarse? Eres mi nuevo ídolo, viejo.*

—¿Estuviste en San Francisco?

—Y en cualquier otro lugar que imagines —dice con la vista fija en un mapamundi pegado sobre el cristal de la cabina—. Si no me falla la memoria, creo haber sido el primero de mis amigos en tirarse una puta china. Fue en Hong Kong a finales de los sesenta. Parecía un pollito remojado, uno pensaba que la iba a desarmar del primer jalón, pero no tardabas en comprender que ella sola podía destruir un ejército.

El teléfono repica y él lo atiende. Termino de pulir la enorme consola y voy por los almuerzos.

El programa de mayor audiencia que teníamos era el sorteo de la lotería. Los anunciantes se podían considerar un milagro y la programación musical había tenido su último éxito hacía 20 años. Las disqueras no enviaban nada y daba igual porque todavía no teníamos un lector de CDS. El vidrio de la cabina estaba cubierto de telarañas y los pegotes de moco se habían fosilado como los restos de una antigua civilización; ni las moscas entraban ahí. La emisora estaba atorada en el tiempo, Radio Fantasma habría sido un nombre más adecuado que el flamante: Sintonía Total AM. Los oyentes, si quedaba alguno, debían saberse de memoria cada frase, cada tanda musical, cada consejo práctico. No había sorpresas, *Ernie Tequila* (como le decían al tipo del noticiero) era al mismo tiempo el malo de la radionovela y la voz comercial. Sin embargo, se recibía una que otra llamada que mantenía viva la esperanza y nada en este mundo causa más daño que la esperanza. De esas pocas llamadas el porcentaje más alto correspondía a bromistas profesionales. Las demás eran hechas por jubilados, reos, enfermos terminales o parientes del señor *Tequila*. Todos querían escuchar viejas canciones y dar aliento al equipo de la emisora, sólo que esas voces de aliento estaban quebradas y apenas podían modular entre repentinos ataques de tos; cualquier saludo en sus bocas era un largo y lastimero adiós. Cada cierto tiempo alguien dejaba de llamar y el locutor rezaba en silencio por su alma. La imaginación del programador era algo serio, tanto que no había tenido reparos en llamar a un programa *Gotas de actualidad*. Lo pasaban al final de la tarde y el conductor solía empezar diciendo: *Un día como hoy...* A medida que se adentraba en los recuerdos su voz se hacía más segura. Dudo que el ambiente de trabajo de un guardia de cementerio fuera más apacible que el mío. Bastaba un poco de franqueza para aceptar que aquella emisora no existía y me gustaba así. No ganaba mucho pero seguía vivo y había dejado de aceptar ayudas y sometimientos. Tenía una mujer.

3

En el hotelucho me conocían como *Radioman*. Yo jamás la sintonizaba pero tenía una calcomanía de los buenos tiempos pegada a la puerta. En el cuarto vecino vivía un sujeto llamado Berna. Era un poco más bajo que yo, de rasgos delicados y una piel amarillenta que me traía malos recuerdos. Parecía buena persona, al menos era callado y amable. Se iba temprano y regresaba tarde, usaba ropa oscura y un maletín negro. Algunas veces estaba rendido y no lo sentía llegar, pero en las noches de insomnio o cuando me atrapaba la lectura de un libro podía escuchar sus pasos y el rigor con que se cepillaba los dientes. Antes de acostarse solía improvisar alguna oración en la cual incluía a todos los habitantes del hotelucho. Me avergonzaba un poco su fe, me hacía caer en cuenta de lo escasa que era la mía. No recordaba la última vez que había rezado, ni siquiera me sentía capaz de intentarlo. A veces nos encontrábamos en el pasillo o en la tienda de la esquina y cambiábamos impresiones sobre el clima o la inseguridad de Ciudad Inmóvil. Su voz era ronca y pausada, tenía un raro acento que no podía reconocer y me resultaba exasperante. Una noche de ésas tocó a mi puerta. Tenía el cabello revuelto y se notaba que había bebido más de la cuenta. Lo hice pasar y le ofrecí un café. Sostuvo la taza entre sus manos pero no lo bebió. El humo le subía por la cara, su nariz era pequeña y con el tabique casi invisible de un bebé.

—Estuve en un autobús repleto —dijo de repente—. Ya sabes, todos apiñados y con semejante calor. Un tipo se metió detrás y se pegó contra mí. Enseguida el órgano se le puso como una berenjena y sin ningún pudor empezó a restregármelo. Era un tipo grande y descargaba su peso sobre mi espalda y el órgano cada vez se lo ponía más tieso y temí que en cualquier momento me atravesara con todo y pantalones... fue muy incómodo —miró la taza, ya no salía humo. Sus manos temblaban ligeramente—. Traté de moverme, salir de allí, pero no había espacio. Tenía las manos ocupadas con el maletín y tratando de sostenerme en la barra. ¿Qué más podía hacer? Para colmo el autobús seguía recogiendo gente y la respiración del tipo me estaba quemando la nuca y su enorme cosa abajo parecía abrirse camino. Traté de ignorarla, me dije: Tranquilo, Berna, es sólo un mal momento, ya pasará. Dios te pone a prueba y debes resistir. Pero los minutos cuentan y el cuerpo es más frágil que el alma y ya no pude aguantar. Empecé a disfrutarlo, cerré los ojos y me dejé llevar hasta el fondo donde creí que Dios no podía seguirme. El tipo se dio cuenta y se movió con mayor confianza y mi órgano también estaba hinchado y entonces eyaculé justo al mismo tiempo que él... El placer se fue en pocos segundos y supe que había cometido una infamia. Llevaba dos años sin probar alcohol, no puedo hacerlo. ¿Lo entiendes? Me fallé, le fallé a Dios y ahora no sé qué va a ser de mí.

Se llevó la taza a los labios.

—Está frío, mejor te lo cambio.

—No importa —dijo y la vació de un sorbo.

Está sentado en el borde de mi cama y yo en una silla frente a él; una de sus manos está sobre mis rodillas. Sus ojos están fijos en los míos y pienso: *allí está su mente llena de porquerías*. Su mano está que arde y no la quiero allí, y no sé cómo actuar. El tipo está deshecho; sus ojos entran en los míos como un acercamiento de cámara y se mete en mi mente y me da miedo. Siento que aprieta mi rodilla y me levanto de un salto. Entonces tiene un amago de sonrisa y se va. Escucho su oración interminable hasta que me vence el sueño.

4

A Maya no le agrada Berna. Ella vive en el piso de arriba, su cuarto está justo encima del mío. Oigo sus pasos todo el tiempo, a veces golpea el piso con el tacón para hablarme en clave morse. Hace tres semanas que somos amantes, algunas noches se queda aquí y otras voy a su cuarto. El domingo anterior cumplió 24 y trabaja como taquillera en un cinema de la zona turística. Maya dice que Berna entra todas las semanas en compañía de un chico negro; Berna pertenece a una secta cristiana. Durante el día visita gente y vende Biblias y revistas de su congregación. En las noches hace turnos de mesero en un café. Me contó que era de Ciudad Inmóvil pero se había ido a vivir de adolescente a una ciudad vecina y luego rodado por medio país. Unos años atrás fue guitarrista de una banda y estuvieron a punto de grabar un CD pero pasaron cosas terribles (de las que prefiere no hablar) y el proyecto se fue a pique. Después de eso tuvo una crisis de nervios que intentó combatir con alcohol y drogas. Las bancas de parque y las aceras no tardaron en convertirse en su hogar y fue allí donde lo encontró un grupo de chicos que le hablaron de Cristo. Berna recuerda los detalles; dice que, sobre todo, lo impactó la fe y el empeño desinteresado de esos chicos en su salvación. Eran cuatro; tres chicos y una chica. Los chicos llevaban el pelo cortado a ras y la chica lucía un par de largas y brillantes trenzas. Su ropa y zapatos eran impecables y todos olían a loción de pino. La chica leyó un pasaje del Evangelio: *Mujeres de Israel, no lloréis por mí, llorad por vosotras. Porque llegará un día en que serán benditos los vientres que no concibieron y los senos que no amamantaron. Y correrán a esconderse en las colinas y le pedirán a los montes protección, porque si en la leña verde hacen esto, ¿qué no se hará en la seca?*

—¿Te acostarías conmigo?

La chica lo observó casi con ternura y Berna sintió escalofríos.

—El amor de Dios te salvará —dijo la chica.

—¿Y con Cristo? —se había levantado de la banca y había encarado a la chica—. ¿Lo harías con él?

Ella permaneció impasible con la Biblia en la mano. Uno de los chicos apoyó la mano en el hombro de Berna.

—Cristo te ama —dijo el chico; tenía la voz suave, profunda y humectante de alguien que promociona en la tele pañales desechables—. Eres parte suya y nuestra. Sólo tienes que dejarlo libre en tu corazón.

—Supón que lo hago, ¿qué hay para mí?

—Serás libre también.

—¿Y ella me amará?

El chico miró a la chica y sonrieron. Los otros seguían expectantes la conversación.

—Ella te ama —dijo el chico sin dejar de mirar a la chica—. Díselo. La chica abrazó a Berna y le habló al oído:

—Estás en Cristo ahora, no tienes nada qué temer.

Su limpia cara se restregó en aquel sucio cuello. Berna sintió en la oreja el roce de aquellos labios mientras abajo esos duros pezones le rayaban el corazón.

—Ven con nosotros —dijo el chico y echó a andar. Los otros dos lo siguieron. Berna retuvo a la chica, seguían abrazados.

El chico se volvió. —Ven...

—Ven —susurró la chica—. Necesitas hablar con Cristo. Pero si quieres afeitarte antes, hay un baño público cerca del templo.

Dos semanas después había dejado el alcohol, estaba vendiendo Biblias y tratando de aumentar la lista de suscriptores para la resurrección. La relación con Cristo lo llena como nadie lo hizo antes y éste, a diferencia de cualquier persona, exigía poco. El regreso a Ciudad Inmóvil fue una orden que el Señor le dio en sueños. Aquí había encontrado nuevos hermanos y tenía el propósito de convertirse en pastor. El incidente del autobús echaba sus planes por tierra.

—No soporto haberle fallado.

—Si es tan buen tipo sabrá perdonarte.

—Ya lo hizo y es lo peor —su voz se quiebra, se tapa la cara con las manos—. El lío es conmigo. Por favor, escúchame...

Y lo hago, escucho cada noche la misma historia. Me he convertido en su único confidente ya que ni siquiera al pastor quiere confesarle lo del autobús y menos, que en lo más profundo de su mente, desea repetir la experiencia.

—¿Y si fueras gay? ¿Piensas que Cristo es homofóbico?

—Ser gay o mutante no representa un pepino para Cristo —abre la Biblia que tiene sobre las piernas y lee—: *Sé fiel hasta la muerte*. Hice una promesa y debo cumplirla. Estoy bien con Cristo, sólo le temo a mi mente.

Berna dice que ha visto a un tipo grande rondando por el frente del hotel y sospecha que podría ser el mismo del autobús. Aunque no ha vuelto a beber desde esa noche teme flaquear en cualquier momento y por eso me visita seguido para distraerse. Maya traga entero cuando encuentra a Berna en mi cuarto, para evitarlo ha dejado de visitarme. Una y otra vez me da la cháchara sobre Berna y el chico negro. Berna jamás habla del chico. Maya dice que Berna terminará metiéndome en problemas. Berna habla poco de Maya y cuando lo hace es muy distante. Se refiere a ella como *la del 307* (le he aclarado que Maya vive en el 309 pero él sigue diciendo 307).

—Maya, ¿has tenido miedo de tu mente?

Está pintándose las uñas de los pies. Sin levantar la cara responde:

—No. ¿Por qué habría de tenerlo?

—Hay gente que teme a la oscuridad.

—Es diferente, la oscuridad está afuera. Tenerle miedo a mi propia mente sería como temer a mis pies.

Observo sus pies con las uñas pintadas de rojo, tiene el mentón apoyado en las rodillas. Su cuello es largo y delgado como un trozo de bambú, la cara morena y angulosa, mechones de pelo castaño le caen sobre la frente. ¿Debería temerle? Parece inofensiva, concentrada sólo en sus pies. Pero su mente está allí y se mueve en varias direcciones.

—¿Conoces algo más oscuro que tu mente?

—La tuya —dice y ríe—. O la de tu amigo de abajo.

Y tiene razón, la mente de Berna debe ser muy oscura. Seguro le asusta no saber qué hay en su propia mente. Si pudo excitarse, al punto de eyacular, con el tipo del autobús podría llegar a cosas más terribles. ¿Y mi mente? Parece dedicada a buscar canciones. ¿Habrá algo detrás? Todos confiamos en eso que creemos ser: un poco de huesos y sangre, de ideas y deseos, de sentimientos y frustraciones. ¿Y si hay algo detrás? De alguna parte deben surgir los asaltantes, violadores y asesinos de este mundo. Cada uno de ellos estaba agazapado en las esquinas oscuras de su propia mente. ¿Por qué un fabricante de juguetes asesina a su esposa y tres hijos en un pueblo de Texas? ¿Por qué un guitarrista francés viola a su niña de cuatro años y mete luego la cabeza en el horno? Berna tiene miedo a su mente. ¿No deberíamos estar todos más atentos a lo que ocurre aquí dentro?

5

Maya ha decidido que debemos intentar vivir juntos. Una compañera de trabajo se traslada a otra ciudad y quiere dejarle el apartamento.

—A ese precio no conseguiríamos ni un locker —dice.

Trato de hacerla entender que necesito más tiempo, que apenas estoy organizando mis ideas y no puedo meterme tan en serio con ella. Se emputa y me la pone difícil. O definimos las cosas o cada quien hace lo suyo.

—La emisora se irá a pique en cualquier momento.

—También el mundo podría acabarse mañana.

—¿Y si no aguantamos?

—Ya veremos —dice—. Me canso de estar en el aire, de subir y bajar escaleras. Quiero darle forma a lo que tenemos y un poco de sol para Rhonda (su cactus).

—¿Tiene que ser ahora?

—Sólo si quieres.

Su sonrisa me exaspera, es la sonrisa de quien sabe lo que tiene. La beso en la parte de atrás del cuello y respiro un poco. Su olor entra y me marea. Me gustaría decirle la verdad pero es una verdad chata, una que no cabe en mi mano, una de esas verdades zonzas y escurridas con que los mutantes escriben columnas y las amas de casa recetas de cocina.

—Quiero —digo.

Se vuelve, me besa y nos tumbamos en la cama. Estira la mano para apagar la luz. Lo hacemos con la ropa puesta y luego nos quedamos abrazados en silencio. Su cabeza descansa sobre mi pecho y el humo de su cigarrillo flota como en la escena de una vieja película. Deberían empezar a subir los créditos pero es el mundo real y tengo que irme a la emisora.

—Gastaremos menos —dice mientras voy hacia la puerta—. Cuidaré de ti como nadie jamás lo hizo.

Salgo y avanzo por el pasillo. Pienso: *no tienes que esforzarte mucho. Si me llevas el desayuno a la cama, al menos una vez en la vida, o me besas al despertarte ya habrás superado el hit parade de los mimos hechos por cualquiera a un servidor.* Bajo las escaleras imaginándola en el pequeño apartamento y las huellas húmedas que dejará cada amanecer cuando camine desnuda del baño a la habitación.

El viejo locutor pregunta por qué ando tan elevado y le cuento sobre la mudanza con Maya. Le digo que será mi primera convivencia y tengo dudas de que funcione.

—¿Funcionar qué?

—Usted sabe, la relación. Estando juntos todo puede complicarse.

—Pásame ese disco —me señala una pila de *long plays*—. El rojo... Sí, ese mismo. ¿Te recuerda algo?

—¿The Spring Boys? —miro la carátula donde aparecen los cinco integrantes de la banda. En el extremo derecho está él—. ¿Qué tocaban?

—Supongo que rockandroll. Ni siquiera llegamos a estar entre los 100 éxitos locales de febrero 17 de 1966. Si hubieran hecho la lista de los 1.000 tampoco habríamos clasificado. Se vendieron tres copias en ocho meses y el resto fue retirado y hundido en alguna bodega cerca del muelle.

—¿Y después?

—No hubo un después —dice y me quita el disco de las manos—. Lo único importante de esa historia es Carmen Souza. La conocí en una fiesta el 5 de noviembre de 1977 y me dijo que tenía una copia del disco.

—Increíble, era una de las tres...

Me interrumpe con un gesto.

—Las otras dos copias fueron compradas por el padrino del bajista.

El tipo que hace de galán en la radionovela entra y le avisa al locutor que tiene una llamada personal. Mientras está al teléfono le echo otra ojeada al disco: Guitarra y voz líder, *Anfetaminas Joe*. También es el autor de la mayoría de canciones. En la foto tiene el pelo negro y le llega más abajo de los hombros; los ojos saltones y la enorme nariz han cambiado poco. *Anfetaminas Joe*, o lo que queda de él, regresa y antes de poner otra tanda de boleros habla un poco a sus posibles oyentes. Después se gira y espera en silencio que mueva mi pieza.

—Te casaste con Carmen.

—Strike three! —grita y celebra, lo que considera un triunfo, con alegres pasos de tap. Ver aquel niño de sesenta y pico de años me produce una rara tristeza—. Me había casado en 1973, pero amé a Carmen más que a nadie en este mundo.

—Entonces no fallé.

—Claro que fallaste —la breve sesión de baile lo ha fatigado un poco y opta por regresar a su silla—. Corrígeme si estoy equivocado: A. Tenías en mente que Carmen y yo lo habíamos hecho. B. No concibes el amor sin sexo. C. Estás cagado de miedo porque temes que vivir con Maya te quite la oportunidad de tirarte a otras mujeres.

6

Maya coge mi nueva guitarra y rasga las cuerdas. La guitarra, de color negro, es un regalo de Berna. No es cualquier cosa, la hicieron en Sevilla hace veinte años y está en perfecto estado. Traté de rechazarla, me parecía un regalo demasiado costoso. Según Berna (que siempre está contando historias raras), la guitarra perteneció a un amigo suyo. Solían comprar la revista Método Fácil y practicar en casa de Berna. Un sábado, minutos antes que su amigo muriera en un accidente, estuvieron dándole a la guitarra y éste la dejó olvidada. Después del funeral Berna intentó devolverla, pero la madre de su amigo le pidió quedársela. Como ya no tiene afición por la música quiere dejarla en manos de alguien que la aprecie. Al final me dejé convencer por su historia, acepté aquella guitarra y vendí la mía. El rojo de las uñas de Maya contrasta con el negro de la guitarra; cuando está sentada olvido lo alta que es. Sus piernas son largas y tiene un lunar en forma de trébol en el muslo derecho. Entre sus senos también hay lunares. Nunca la he visto del todo desnuda, hacemos el amor en el oscuro porque no quiere que vea unas marcas de nacimiento que tiene en la espalda (a la playa siempre va con suéteres y jamás entra al mar). Cuando, en la oscuridad, le acaricio la espalda tiembla, pero mis dedos sólo sienten una vaga dureza del lado izquierdo. Le digo que no me importaría ver esas marcas y ella responde que cuando gane toda su confianza me las mostrará. Tiene ojos marrones y vivaces, la nariz corta y la frente amplia. Me gusta el vestido que se ha puesto, es mi favorito: flores negras de diferentes estilos sobre un fondo blanco, pegado al cuerpo, de mangas cortas y con cuello en V. De largo sólo cubre la mitad de sus muslos. Trato de enseñarle las notas pero se aburre y me pasa la guitarra y pide *Balas de plata*, una canción que compuse poco antes de conocerla: ...*I'm afraid / so afraid / of people who believe in tomorrow / of love that doesn't leave holes / of men that swear never to use a gun*[0].

—¿Por qué te gusta tanto?

—Lo de las falsas promesas me llega.

—¿Te hicieron muchas?

—Así —dice juntando los dedos—. Deberíamos estar más atentos a lo que sale cuando abrimos la boca. Bueno, eso no importa ahora. ¿Pensaste lo del apartamento?

—Esperemos un poco, ¿sí?

—Pero te necesito, quiero estar siempre contigo.

La agarro de las manos y la jalo hacia mí. La guitarra queda entre los dos. La beso y le cuento sobre una mujer vampiro llamada Carmen Souza. Por un momento parece olvidar sus planes de convivencia pero sé que siguen allí, en el lado más oscuro de su mente. Y no sólo sus planes, hay cientos de cosas más amontonadas, cosas que nunca dice. Allí, muy cerca de donde mi boca y la suya se pegan y nuestras lenguas se entrelazan pero aunque estirara mi lengua al máximo sería inútil, las lenguas nunca van muy lejos. Berna ha dicho que debo estar atento a las *segundas intenciones*; las mías y las de quienes conozco. Según él la pesca de *segundas intenciones* es un deporte aconsejable para el espíritu. Toda-

---

[0] *Tengo miedo / tanto miedo / de la gente que cree en el mañana / de los amores que no dejan huecos / y los tipos que prometen jamás usar un arma.*

vía no he pescado nada; quizá porque Maya no las tiene o porque siempre he sido pésimo para los deportes.

—¿Y dónde está ahora?

—Vive aquí.

—¿En nuestro hotel?

—En el sexto piso.

—Nunca supe de una Carmen Souza.

—Usa otro nombre.

—¿Por qué?

—No tengo idea. Es una mujer vampiro y puede hacer lo que le venga en gana. Si supieras que vas a vivir para siempre, ¿qué harías?

Maya se queda pensativa y me concentro en pescar *segundas intenciones* pero si las tiene son muy rápidas para mí.

—¿De verdad crees que sea un vampiro?

—Todos lo somos —digo. El teléfono suena y ella salta a contestar. La escucho discutir sobre los arreglos del apartamento—¿Ya lo alquilaste?

Con un gesto me pide cerrar la boca y continúa discutiendo. Pienso: *¿qué otra cosa somos sino vampiros? Primero secamos a nuestra madre y luego, día tras día, chupamos aquí y allá para aferrarnos a una vida cada vez más ruin. Lo que llamamos amor no es más que una carnicería abierta 24 horas. La alegría ajena despierta nuestros deseos asesinos. Todos, aun los que parecemos más tiernos o desvalidos, estamos llenos de mezquindad. Si de verdad alguien nos amara debería ayudarnos a ser libres y no hace falta ser muy avispado para darse cuenta que apenas alguien dice amarnos se convierte en el peor enemigo de nuestros sueños.* Sin hacer ruido salgo y voy a mi cuarto.

7

—Quizás cambie de idea.

Berna me observa como si acabaran de decirle que tengo cáncer y me quedan pocas horas. Detesto esa mirada; sé que viene de un incendio y tiene la mente repleta de cenizas. No debería hacerle caso, pero influye en mi ánimo y aunque pataleo no logro evitarlo. Él hace que vea a Maya con traje de carnicero.

—Mis palabras sobran —dice tratando de no sonar irónico—. Eres el más vivo del hotel, eso está claro.

La manera como arrastra cada sílaba me saca de quicio y cuando caigo en cuenta ya es tarde para cerrar la boca:

—¿Y qué tal tu chico negro?

Recibe el golpe sin inmutarse y me sostiene la mirada con la expresión tranquila de quien no la debe.

—Estás peor de lo que pensé —dice.

Lo veo salir del café y, a través del cristal de la puerta, alejarse entre la gente. Pago la cuenta y salgo tras él. Lo sigo a cierta distancia. En una esquina se detiene a comprar el periódico y se queda hojeándolo. Me acerco con sigilo y me asomo por detrás de su hombro. Está leyendo la página de cine.

—Disculpa —digo—. No quería ofenderte.

Sin volverse y sin quitar la vista del periódico responde:

—¿Ah, no?, ¿entonces a qué vino ese comentario?

Dobla el periódico y se lo mete bajo el brazo, echa a andar y lo sigo. Está cayendo una lluvia menudita.

—Bueno, sí quería ofenderte y a la vez no. Me ofusqué y no supe lo que dije.

—Darío es un amigo.

—No tienes que darme explicaciones.

—A lo mejor ella quiere saberlo.

Se mete bajo el toldo de un almacén y alza la mano para parar un taxi. El taxi sigue de largo. Me quedo inmóvil a su lado.

—Sólo dijo que ibas seguido al cinema.

—¿Y eso qué?

—Es un poco quisquillosa pero te quiere bien.

Suelta una risa hueca.

—Lo que ella piense no interesa, pero confié en ti. Prometiste no contarle a nadie lo del autobús.

—¿Quién te dijo que...?

Un taxi se detiene y él sube de prisa, antes que pueda cerrar la puerta estoy adentro. Le indica al taxista dónde ir y se recuesta en el asiento con los ojos cerrados.

—Las mujeres son seres inestables; si les das algo qué tener entre manos no van a estar felices hasta espicharlo —por el espejo veo que el taxista lo escucha con atención y le pido encender la radio—. Se lo contó a Carmen.

—¿Qué música quiere? —pregunta el taxista con fastidio.

—99.1, por favor.

—¿Conoces a Carmen?

—A veces nos juntamos para leer la Biblia.

—¿Carmen Souza lee la Biblia?

—Su apellido es Bravo no Souza.

—¿Vive en el sexto?

—En el quinto. 517.

—¿Es vieja?

—Pregúntale a Maya —el taxista continúa pendiente de nosotros. Le pido subir el volumen—. Ella la visita seguido.

—No sé qué decir —siento que las manos me sudan y el aire me falta. Desearía tener un arma y acabar con Berna y aquel taxista chismoso en un segundo—. Maya y yo juramos que no habría secretos. ¡Mierda, Berna! Me siento mal contigo, no pensé que...

—Estoy acostumbrado a las decepciones —dice mirando la lluvia que corre por la ventanilla del taxi—. Uno debe andar con cuidado; hay que ser muy cínico para decir siempre la verdad. Dentro de una verdad hay muchas trampas y te pierdes cuando crees que es algo único. Las cosas cambian porque toman la forma de quien las usa. ¡Détengase, por favor!

El taxi frena con violencia y patina sobre el asfalto húmedo. Mi cuerpo sale despedido hacia adelante. Berna le pasa un billete al taxista, abre la puerta y me jala por el brazo hasta sacarme. El taxi sale disparado. Berna me arrastra por un estrecho callejón que desemboca en una plaza llena de gente.

—No puedo seguir —digo y abro la boca en busca de aire—. Sufro de asma.

Berna se detiene y me ayuda a llegar a la fuente que está en el centro de la plaza. Nos sentamos en el borde.

—Creo que los perdimos —dice mirando por el rabillo del ojo hacia el callejón—. Pensé que esta vaina había terminado.

—¿Qué vaina?

—La tipa del pañuelo rojo en el café, ¿te acuerdas? —niego con la cabeza—. Nos seguía en un Chevrolet negro con el parabrisas rayado en la parte izquierda. Ella conducía y la acompañaba un gordo.

—No sé de qué hablas.

—El pañuelo del gordo era igual.

—¿Y qué hay con eso?

—Lo llevaban anudado al cuello —la lluvia aprieta un poco y la gente corre a protegerse bajo el alero de las casas. La plaza queda desierta en pocos minutos. Berna no se mueve—. Quieren que parezca casual, los conozco.

—¿A quiénes?

—Lo tienes aquí —dice dándome golpecitos en la frente con el índice—. ¿De qué hablabas al otro día? ¿Miedo a la mente? Eso es. Puedes darle el nombre que se te antoje. ¿Qué te parece *Las regiones frías*?

De repente sentí que la plaza se convertía en un laberinto. Allí estaba, empapado hasta la crisma, junto al demencial hombrecito. ¿Miedo a la mente? No recordaba esa conversación.

—Me largo —dije y eché a andar. Él permaneció impasible. Me detuve a unos seis metros y giré sobre mis talones como en un duelo del *far west*—. ¿Qué carajo pasa contigo?

—¿Crees que no lo intenté? —su cara estaba roja y sus piernas temblaban, parecía víctima de un delirio—. Pero no puedes escapar siempre.

Cerré los ojos un instante; la lucecita verde de mi paciencia estaba apagada. Avancé hacia él que se puso en guardia. Apreté las manos hasta sentirlas tronar. Empezó a quitarse la camisa y lo que creía un enclenque resulta ser una perfecta máquina de Dios. Entre el hombro y el cuello tiene el inicio de un tatuaje que se extiende por la espalda: es un dragón japonés de feria. Su expresión es felina, parece otro hombre. Nos miramos de hito en hito, las aletas de su nariz resoplan.

—¿De qué la conoces?

—¿No lo sabes? —dice sin bajar la guardia y siguiendo cada uno de mis movimientos—. Si creí que entre ustedes no había secretos.

—Maldita sea, dímelo, ¿de qué conoces a Maya?

—Ahora soy quien pregunta —se arquea un poco y adelanta la cabeza—. ¿Nunca has deseado a un hombre?

—Prefiero las liebres —digo recordando una de mis canciones—. Háblame de ella.

—Es algo de temer —se relaja y vuelve a sentarse. Los brazos le cuelgan como quien acaba de realizar un gran esfuerzo—. Cuando la percepción que tienes de ti mismo no sirve, ¿qué haces? Bruce Lee escribió un libro donde aconseja proyectar algo. Nadie escoge el tono de su voz pero sí las palabras y la ropa que usa. Se llama *Técnica del dedo pulgar*.

—¿Qué dice de mí?

—Si aprendes la técnica —se acomoda y abotona la camisa, luego estira el brazo hacia adelante y empuña los dedos dejando libre el pulgar—. Podrías matar a un hombre a esta distancia.

Siento que la cabeza se me hunde en el tronco, que mis ojos se llenan de sangre, que mis piernas son ramas secas invadidas por termitas... Me desplomo y mis rodillas chocan con el pavimento. Berna me ayuda a levantar y enseguida la oscuridad me vence. Cuando retorna la luz estoy en el pasillo del hotel apoyado en los hombros de Berna y el portero que sin decir palabra me llevan al cuarto y me dejan tumbado en la cama. Dentro de mi cabeza se rompen globitos y pequeñas estrellas violetas salen disparadas. Después sólo queda el vacío y el sonido de una gotera que hace meses prometí reparar.

8

Maya sabe hacer que un hombre se sienta a mil por hora. Maya huele a hierba. Su cuerpo es una fragante guía para atravesar el mundo. Las blancas colinas acaban en valles morenos y luego hay ensenadas sin regreso. Su sexo aprieta el corazón. Maya me tiene cogido pero no lo sabe, ese es el gran truco. Maya me sigue la corriente pero yo me sigo la corriente y así ambos estamos perdidos. Maya mete mi sexo en el suyo y pide que la parta en dos y exige hasta que no puedo más y entonces se sube sobre mí y se mece como un péndulo hasta quedar inmóvil. Un suave péndulo que se come mi energía. Maya huele a mí y cocina bien. Su sexo da hambre y sueño. Cada noche me encierro en el baño y canto para ella, sé que mi voz sube por un agujero hasta su cuarto. Cuando estoy en la emisora trabajando no dejo de pensar en Maya y a veces me valgo del viejo locutor para mandarle un mensaje en clave aunque sé que jamás nos sintoniza. Berna me tiene presente en sus oraciones y lo agradezco. Él piensa que sé demasiado y de verdad quisiera saber algo o quizá sea mejor no saber nada de lo que ellos se traen. Maya no es como Berna cree y si lo fue ya lo ha olvidado. Berna no es de fiar, se crió a palos y por eso chilla y esconde el rabo ante el primer visaje. No necesito músculos ni camisas nuevas, quiero ser lo que soy. Llevo tanto tiempo siendo esto que le cogí cariño. Mido un metro setenta, tengo caspa y un orzuelo en el ojo izquierdo. Podrían considerarme flaco aunque en los últimos dos años me ha crecido un poco la tripa. He aprendido a meterla sin que me cueste respirar (a Maya le aseguré que mi estatuta pasaba del metro setenta y cinco). Desearía tener más pelo y de un color más oscuro. He pensado tinturarlo, el lío es que toda Ciudad Inmóvil se daría cuenta y no estoy listo para eso. Me he gastado una fortuna en tratamientos pero sigue cayendo, tampoco los que prometen dar volumen y brillo funcionan. Lo peor es cuando está mojado y veo todos esos pedazos de cráneo al descubierto. Quizá con el tiempo tenga que usar una gorra como Brian Johnson. En la emisora estoy a salvo, junto a ellos me sobra pelo y ganas de vivir. Están tan acabados que luzco salvaje. Maya está a mi nivel en su prisión de dos metros con vista a la fila. Y me ama. Berna no para de rezar, es un buen tipo. Alguien le restregó el culo y tiene pesadillas. Piensa que hay un complot, que su antigua vida está de regreso. *¿Has deseado a otro hombre?* Quien le teme a su mente termina cediendo y no recuerdo tantas oraciones como él. Berna trata de intrigarme contra Maya, quiere que le tema, que ella sea la mente y yo el miedo. Su estrategia no funciona, no todavía. Maya quiere que dude de Berna y lo ponga en mi lista de enemigos. La lista sigue vacía. Ayer conseguí el librito de Bruce Lee y me pareció fantástico, sobre todo las referencias al Tao: *No hacer, no desear, no responder. El árbol útil es cortado joven, el inútil envejece en la gloria del bosque. Convertid el no-actuar en vuestra gloria, en vuestra ambición, en vuestro oficio, en vuestra ciencia. El no-actuar no desgasta. Es impersonal. Devuelve lo que ha recibido del cielo sin guardar nada para sí. Es esencialmente un vacío. El hombre superior no ejerce su inteligencia sino a la manera de un espejo. Sabe y conoce sin acarrear atracción ni repulsión, sin que ninguna huella persista. Siendo así, es superior a todas las cosas y neutro respecto a ellas.* De niño mis padres me hicieron sufrir las verdes y maduras con aquella palabrita: *inútil esto, inútil lo otro*. De haber tenido el Tao a mano les habría dado su merecido.

Maya compró maceteras y una lata de pintura azul rey. Se muda en tres días para el apartamento y todavía no decido si ir con ella. Debajo de su cama hay viejos afiches de cine: *Kid cheung, The bad boy, A goose alone in the world, Marlowe, La furia del dragón*... todas de Bruce Lee. Sus tetas están combadas hacia arriba y no hay poder humano que pueda hacerlas caer. Le ruego que espere un poco. Le digo: *Vamos muy rápido, nena*. Y hacemos el amor en su cuarto o en el mío. Ayer, después de hacerlo, se quedó dormida y de repente caí en cuenta de algo; sin hacer ruido me levanté y encendí la luz, estaba boca abajo tapada hasta el cuello con la sábana. Se la bajé de un tirón y despertó furiosa.

Dice que no aceptará preguntas sobre el tatuaje y que si insisto sólo lograré mentiras. Y lo hago, insisto, y ella insiste en que no es un dragón sino marcas de nacimiento. Repito la pregunta y ella pasa a otra respuesta más absurda que incluye a la mafia Yakuza. Pregunto una vez más y cambia de respuesta y me reta a seguir preguntando: se burla de mí, dice que podría pasarse el resto de la vida inventando respuestas. Su actitud me abruma y guardo silencio. Se pone tierna; me pide olvidar el asunto, asegura que no tiene importancia, que entre Berna y ella jamás hubo nada. Sin abrir la boca apago la luz y me acuesto a su lado.

En la mañana intenté con Berna y fue aún más parco que Maya. Ellos se temen y yo estoy en medio. Soy su mente y quisiera saber qué piensan de mí. Berna habla en abstracto. No consigo armar el rompecabezas de sus obsesiones. En la noche, al volver de la emisora, me encerré en el cuarto. Maya seguía ordenando cosas arriba. Con el tacón me pidió subir; en el pasillo me encontré con Berna, venía acompañado del chico negro que me saludó afable (tiene una bella sonrisa y manos de leñador). Se despidieron y entraron al cuarto de Berna. ¿Hay algo más que amistad entre ellos? Me parece que no. Maya exagera. Dos hombres pueden ir a cine, abrazarse con cariño y compartir la soledad. Entre hombre y mujer el margen se estrecha. Están juntos para que suceda algo y si no es así la tensión crece. Cada quien piensa en sus ambiciones y los sucesivos encuentros van desgastando al más débil. Darío y Berna se apoyan. Ninguno estruja al otro. Empacamos en silencio, mi corazón hace tic-tac.

Maya me ha puesto en una encrucijada: acepto vivir con ella o pierdo de vista sus largas piernas. Dejar a alguien exige fuerza. Uno construye en el otro y dejarlo implica dejarse. Tengo fragmentos de mi futuro invertidos en Maya. Una mujer alta me conviene. Ella tiene todo el pelo que me falta. Junto a ella me proyecto peligroso y envidiable. Odio la idea del cantante solitario, eso sólo le va a alguien de un metro noventa, con buen aspecto y auto del año. Mi hermana y Maya se conocieron hace poco y no hubo química. Ella y las niñas (tengo una nueva sobrina) pasan a veces por aquí; el marido no entra, prefiere esperarlas frente al hotel y cuando bajo a despedirlas voltea la cara hacia otro lado. Pienso: *¿qué carajo le hice a éste?* Eso cree uno, que es inofensivo. En *Técnica del dedo pulgar* Bruce Lee dice que nada que se mueva es inocente. Mi mente no sabe qué le hice a mi cuñado pero la suya lo tiene bien claro. He conversado con mi hermana y ella tampoco entiende por qué me odia su marido. Dejé su casa, conseguí empleo, adoro a sus hijas. El jueguito de los préstamos terminó. ¿Qué putas le debo? También es posible que mi mente lo sepa y me lo oculte. ¿Puedo confiar en mi mente? Mi hermana dice: *No le hagas caso, algún día se le pasará.* Debería importarme un pito y, sin embargo, me revienta. Mis sobrinas son dulces, quiero tener una relación normal con su padre.

—Algo le hiciste —dice F.

—¿No crees que lo sabría?

—Uno olvida sus deudas.

Suelo encontrarme con F los miércoles y compartir un café. Zeta dejó la ciudad y F tiene un nuevo amor. Zeta le escribe largos e-mail que F elimina sin leer. Love ha suavizado su carácter, incluso la convenció de entrar al gimnasio y a medida que pierde peso su autoestima aumenta. También se acuesta con hombres (la no despreciable ración de pene).

—Bonita piedra —digo tocando el dije azul que cae justo en medio de sus tetas. Pienso: *bonito cuello, no imaginaba que tuvieras uno*. Ella me muestra los pendientes que hacen juego con el dije—. A Maya le encantarían.

—Me los compró Love —dice con orgullo—. Si quieres le pregunto dónde.

¿Por qué mi hermana nunca sonríe o muestra confianza en sí misma? Es alta y bonita, sus senos siguen vigentes a pesar de dos hijas. Él debería apreciarla y entender que tiene un tesoro. *No arrojes perlas a los puercos*. ¿Y si las perlas se lanzan por su propia cuenta? Ella no lo ama, lo sé. El lío es que se crea condenada a él. Miles de mujeres viven esa pesadilla y siguen atadas a tipos infames. En cambio los tipos no se lo piensan mucho para largarse con otra. Seguro ha pensado dejarlo y, claro, están las niñas. Ellas la condenan a él: *No nos une el amor sino el espanto / será por eso que la quiero tanto*. Las palabritas qué lindas y certeras son y qué poco sirven. No se aman, sólo tienen tensión y vicio. Es que la máquina de contar tontos no da tregua, ¿qué número seremos Maya y yo? Siento vértigo y una rara sensación, algo entre el dolor y el vacío: es como cuando alguien se despide y se aleja por una calle desnivelada. Uno lo observa, a veces desaparece en una bajada y luego sale más allá y otra vez se hunde y luego sale más allá, pero hay un momento en que desaparece y uno se queda esperando que salga hasta que se hace muy tarde y hay frío y poca luz; entonces te das cuenta de cuán seria es la distancia, de qué cosa tan despiadada es la distancia.

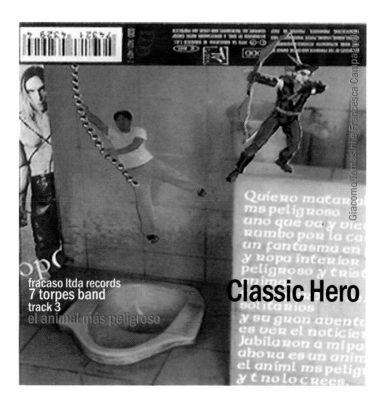

fracaso ltda records
7 torpes band
track 3
el animal más peligroso

Classic Hero

Giacomo Tomasini e Francesca Campagnoli

Quiero matar a...
ms peligroso
uno que va y vie
rumbo por la ca
un fantasma en
y ropa interior
peligroso y trist
solitarios
y su gran aventu
es ver el noticier
jubilaron a mi pa
ahora es un anim
el animl ms pelig
y no lo crees.

(*EL ANIMAL MÁS PELIGROSO*)

0

Al lado de Superman y demás criaturas dotadas de extraordinarios poderes para salvar el desgraciado mundo del hombre blanco Flecha Verde resulta casi inocuo. Uno no sabe si es peor su personalidad secreta (el multimillonario y aventurero de centroizquierda Oliver Queen) o la hedionda y desteñida pinta robinhoodiana con que pretende enfrentar a sus enemigos y hacerse un espacio en la Liga de la Justicia (aunque por ciertos episodios sus verdaderos enemigos bien podrían estar en la Liga de la Justicia). El tema de la personalidad es peliagudo en Flecha; a diferencia de Superman que se sirve de Kent para acceder a una vida normal o Batman que usa a Bruno como complemento de su oficio heroico, podríamos decir que Oliver Queen inventó a Flecha para escapar de Oliver Queen: el patético héroe con chivera representa su evasión de una realidad donde había perdido influencia (en un episodio posterior Ollie invierte mal y pierde su fortuna). Lo irónico es que Flecha termina siendo un superhéroe de segunda (más degradante considerando que es *vieja guardia* en la Liga[1]); una sombra que sigue al arrogante Linterna Verde. La humillación y la angustia son afines a Flecha; para un niño de cuatro años descubrir a su

---

[1] En su primera época Flecha no aparece en portada, sus historias son usadas como relleno de Superman o Batman. Cuando por fin le dan portada es compartida con Linterna que se roba el show.

padre cagando en descampado es todo un trauma y Flecha estaba allí, era la historieta que leía mi padre en aquella ingrata posición, quizá hasta la usó luego para limpiarse. Mi afición por los cómics deriva de mi padre (también la de cagar en descampado). Los coleccionó toda la vida y en cada etapa difícil se aferró a ellos con la misma desesperación que yo lo hago. Flecha nunca gozó de su simpatía, quizá por eso lo he amado tanto (a Flecha, claro).

Los superhéroes no van al baño, no van al dentista, no tienen hemorroides. A los cinco tuve la certeza que mi padre no era un superhéroe: el mediano y robusto hombre se estaba quedando calvo, bebía demasiado, gritaba y gesticulaba al menor contratiempo y mi madre lo engañaba con un vendedor de telas. Su error era haberse casado con una mujer 20 años más joven. Los domingos colgaba la hamaca y se metía allí a leer. Mi misión, a cambio de unas monedas, era proveerlo de cerveza y recoger las botellas vacías y los cómics que iba tirando. Y así empezó mi vicio por los coloridos monicongos y el desprecio por mi padre. Algunos sostienen que Kent es la crítica de Superman a la humanidad, que a través del tímido y torpe periodista el héroe de acero se burla de lo frágiles, cobardes y desorientados que somos los hombres. Eso explicaría sus desplantes a Flecha; ¿qué, si no un remedo, es el hombrecillo vestido de verde? También a mi padre le cae mal Flecha, supongo que no le gusta verse reflejado[2].

Lo normal es que las chicas suspiren por los superhéroes (los amoríos con Dinah Lance casi destruyen a Flecha. Mi madre engañó y abandonó a mi padre); que no tengan problemas de insomnio (Flecha y mi padre tienen cara de no haber

---

[2] La relación de Flecha con su hijo Connor es conflictiva (Connor es el reverso de su mujeriego y diletante padre). La niñez de Connor fue solitaria porque Flecha estuvo muerto por varias temporadas.

dormido desde que murió el último mamut); que tengan un amigo incondicional[3] (Linterna Verde se alió a Superman en la construcción de una nueva Liga de la Justicia a la que Flecha se oponía. El vendedor de telas que se acostaba con mi madre era el sobrino favorito de mi padre); que no le afecten los años (en *Batman Dark Knight* aparece un Flecha gordo, envejecido, calvo y sin un brazo. A mi padre, junto con la calvicie, se le hundió el culo y le creció la panza).

Desde su debut en 1941 las apariciones de Flecha han sido intermitentes y en los ochenta, mientras Linterna alcanzaba la gloria, él debió figurar en las listas de desaparecidos. Hay quienes achacan sus continuos reveses al look. Su uniforme parece un largo recorrido por tiendas de ropa usada; ni siquiera Cyndi Lauper cayó tan bajo. En los noventa la tendencia tecno de Linterna llegaba a la cúspide y el pendejo de Flecha seguía divagando en el pantano del retro. Para revivirlo su agente ordenó que le quitaran la chivera y le rediseñaran la máscara y el uniforme. Resultado: la Rana René con máscara de buceo. El nuevo Flecha no podía destilar otra cosa que amargura: *Podría acabar con el superlata y el zombie orejudo sin gastar dos flechas.* La amenaza fue tomada por Batman y Superman como el delirio de un héroe jubilado. La canción que escribí sobre mi padre dice:

Quiero matar al animal más peligroso / uno que va y viene sin rumbo por la casa / un fantasma en pantuflas y calzoncillos / peligroso y triste es el animal / como el pito no le funciona / juega solitario / y su gran aventura es ver el noticiero / Jubilaron a mi padre / nos lo empacaron como animal doméstico/ el animal más peligroso, / nena, / deberías creerlo.

---

[3] Es justo recordar que Flecha dejó a Speedy, su primer compañero, para seguir a Linterna. La depresión hundió a Speedy en los fármacos y el alcohol.

00

Robaré una Harley dije a los 15. *Nunca grabaré en español* dije a los 17. *Me suicidaré a los 27* dije a los 22. *Ninguna mujer me hará lo que mi madre a mi padre...* Nos deslizamos a través de la vida por los residuos de unas cuantas frases, nos alimentamos de esos residuos. Nosotros, los amigos de Flecha Verde. Su poder es disparar flechas, si alguien le roba el arco y se pone un traje ridículo puede reemplazarlo. Su poder es accesorio, es igual que conquistar una rubia mostrándole un Ferrari. Superman es inherente a sí mismo. Batman, Atom, Linterna, etc. Batman es humano como Flecha, sólo que el hombre murciélago fue entrenado y educado para ser Batman y Oliver Queen apenas puede sostenerse en pie. Batman tiene en Robin, un joven discípulo. Flecha tiene en Linterna a un implacable amo. Cuando la historieta bajó las ventas se culpó a Flecha y de inmediato se le mandó al ostracismo. Linterna, sin el escuálido ayudante, volvió a conquistar lectores. Sancho es inherente al Quijote; si los desgraciados tuvieran el coraje de aceptarse Flecha haría dúo con mi padre. *Nadie me pateará el trasero otra vez* dije la última vez.

000

Estoy boca arriba sobre un playón de arena, la nariz y la boca me sangran, los codos me duelen una barbaridad y algo se escurre dentro de mí, un sabor a ruina insoportable. Hace un momento el playón estaba atestado de personas cuyas caras no deseo recordar. Mis pies están descalzos y mi torso desnudo, a mi lado hay un círculo que alguien trazó con un pedazo de madera sobre la tierra y que lentamente la brisa del atardecer borra. Estuve dentro de ese círculo y ahora estoy fuera; levantarme y volver al círculo es imposible, antes que pueda hacer un movimiento la arena lo habrá borrado. Si la arena no borrara el círculo tampoco podría entrar, se ha cerrado para siempre y la inocencia con que vine al mundo se quedó allí. Alejarme del círculo también es imposible. Estoy condenado, sin importar la distancia, a vivir al borde. El círculo no está en la arena, me sigue. Puedo morir 100.000 veces y al despertar estaré aquí escupiendo sangre, mi sangre.

0V

¿Qué es la realidad? ¿Somos parte de alguna? Val Kilmer interpretó a Morrison y luego a Batman en el cine. En una entrevista reconoció que ambos personajes poblaron sus fantasías de la infancia. Hablaba de ellos como si pertenecieran a la misma dimensión. Morrison y Batman, dos superhéroes del actor. Val Kilmer también es fantasía para sus millones de fans en el mundo. Lo vemos en las portadas, en los afiches y en la pantalla de los cinemas. Nunca hemos visto sus hemorroides, quizá no las tenga ni entre al baño. El más humilde de los hombres vive su propia fantasía, todos, absolutamente todos, tenemos personalidades secretas. Para muchos de sus amigos mi padre es un héroe intocable: estuvo siete años sin perder una partida de dominó. Su voz ronca le da autoridad y se le considera un tipo elegante. Ellos ignoran que odia o teme a los inodoros y prefiere agacharse entre la hierba. Detrás del serio profesor puede haber un asesino en serie. Los bomberos sueñan con incendios y los albañiles construyen rascacielos.

Ocultar emociones, fingir cortesías, frenar los impulsos. ¿No es lo que hacemos a diario? Inventamos las paredes para cambiarnos de traje. Cuántas veces no hemos oído sobre alguien: *Conmigo es un ogro y contigo un príncipe*. El ansia que nos devora consiste en nuestro deseo de ser otros.

V0

Luego del divorcio mi madre se casó con un fabricante de hornos. Como la situación del país seguía empeorando decidieron probar fortuna en México. Un año después mi hermana se largó con un idiota y sólo quedamos mi padre y yo en casa. Para entonces él se había jubilado y esperaba la pensión. Tenía una amante que lo visitaba tres veces a la semana y le hizo malvender las cosas para sacarle dinero. Sin televisor sólo quedaban los cómics; nos sentábamos a leer cada uno en su silla. Al terminar intercambiábamos las historietas y hacíamos uno que otro comentario. Esos fueron los grandes diálogos de nuestra vida. Las cosas importantes, si las había, jamás salieron a la superficie. Durante el tiempo que estuvimos solos llegamos a plantear un negocio: montaríamos con el dinero de su pensión un almacén de música y cómics. Una vez apareció el dinero se fue de paseo a Curazao con su amante y regresó con los bolsillos vacíos. La amante consiguió otro jubilado y él tuvo que rogar por un cupo en el asilo. Con los años he llegado a entender que el afecto que puse en Flecha Verde le correspondía a mi padre. No me arrepiento y cruzo los dedos para que Flecha no acabe en un asilo.

Tercera Parte
LA FORMA DEL VACÍO

1

—Querido, ¿ya regaste las plantas?

—En un momento.

—No importa, lo hago yo.

—¿No puedes esperar?

—¿Para qué?

—Te dije que lo haría.

—No importa quien lo haga.

—Dijiste que lo hiciera.

—Eso fue hace un siglo.

—Estoy practicando.

—Las plantas mueren de sed.

—¡Maldita sea! Voy en camino.

Salgo del cuarto y la veo acostada en el sofá con una revista Cosmopolitan. Recojo agua en un balde y riego las plantas. Vuelvo a la guitarra. He compuesto seis canciones y creo que es hora de hacer mi primer CD y enviarlo a gente que esté en el negocio. *Anfetaminas Joe* dice que conoce a alguien, también el de las noticias. El lío es cuando tratan de recordar la dirección o el teléfono de ese alguien; no sé si pasarles la guía telefónica o contratar un médium. Tengo ambiciones moderadas, me conformaría con estar por algunas semanas en el hit parade de Ciudad Inmóvil y dar un par de conciertos en el estadio de fútbol. Igual la industria musical está cayéndose a pedazos. Los nuevos éxitos llegan primero a las aceras del Centro que a los almacenes y sólo cuestan el 10%. Metallica y otros grupos han intentado volver al acetato pero creo que la batalla está perdida. Si pudiera grabaría por mi cuenta y vendería a domicilio. Necesito dinero, lo que gano es una miseria y desde que vivo con Maya se nota más. Ella lleva el peso de los gastos y eso es malo para el espíritu. Las chicas buenas también se cansan y cada centavo cuenta en este mundo. Si obtengo unos pesos más podríamos contratar una empleada que cuidara las plantas y puliera el piso. Mi escaso talento no se alimenta de agua y sol, debo dedicarle más tiempo a la guitarra.

—Querido.

—¿Sí?

—El inodoro se dañó, no baja.

—Ya voy.

—No me gusta ver popó flotando allí.

—Es tu *popó*.

—¿Y eso qué? Popó es popó, no importa de quién sea.

Salto de la cama, me asomo y allí está con su inseparable revista, arrellanada en el sofá sin creer que el mundo acabará un día. Hasta que nos vinimos a vivir juntos nunca me llamó querido y ahora es *querido* esto, *querido* lo otro. El tono que usa me cabrea, es el mismo con que se entrena a las mascotas. De noche su sexo aprieta el mío y luego pago el precio. Ya no tiene motivos para apagar la luz y está más abierta a las caricias, pero en lo posible evito tocar el tatuaje; prefiero rodearlo como si fuera campamento enemigo. Berna y ella han retomado la amistad, él la visita seguido y cuando hablan paso a segundo plano. Le doy con la chupa al inodoro hasta que cede y regreso al cuarto. La música es un mundo más seguro, se trata de armar secuencias que alberguen una gama de sonidos afines. Los conflictos se resuelven ajustando el tono y respetando ciertos códigos. Me siento cómodo en esta dimensión, no hay prisa, se pueden intentar diversas figuras hasta dar la medida. Mis canciones son simples, tampoco en la radio escucho maravillas. La gente quiere bajas pasiones con sonsonete al fondo.

—¡Querido!

—No me llames así.

—¿Por qué, *querido*?

—Lo detesto.

—¿Cómo debo llamarte?

—Liebre.

—¿Liebre?

—Sí, liebre.

—¿Y a cuenta de qué?

—Mírame, ¿qué soy?

Me observa de pies a cabeza; siento que mis orejas crecen y los dientes no me caben en la boca. Tira la revista y dice:

—Ven aquí, liebre.

Voy hacia ella dando saltitos.

2

—¿Cuántos habrá?

—No muchos.

—Tal vez haya miles.

—Bastaría con una veintena.

—¿Seguro?

—Estamos perdidos en el dial —su cabeza gira como una cámara haciendo un paneo a los viejos afiches que cubren las paredes—. ¿Has intentado sintonizarnos?

—A veces.

—Mentira —dice y me da una palmada en el hombro—. Igual perderías el tiempo, mi mujer sostiene que de nosotros sólo queda un zumbido.

Lo llaman y se mete en la cabina; durante dos horas expondrá los secretos para alcanzar y manejar el éxito (debe saber tanto de eso como de pasar vacaciones en Saturno). Entre corte y corte habrá música y unos pocos comerciales que leerá él mismo. Su voz empieza a romperse y las emisoras en FM que tratan esos temas se multiplican. Mientras él lleva once años aferrado a un libreto la competencia tiene especialistas en cada tema y una red de computadores conectada a internet que no cesa de acumular información. Pero ama su oficio y está dispuesto a morir con las botas puestas. A menudo me incita a dejarlos y buscar mejores horizontes. *Debes encontrar lo tuyo.* Y aunque no tengo muy claro qué es lo mío, lo intento. Maya comparte su punto de vista. Gasta horas mirando los anuncios del periódico buscándome un empleo más adecuado. Sobre todo me disgusta la seguridad con que le habla a Berna de mis sueños y expectativas. Jamás hemos hablado a fondo de eso y, sin embargo, afirma lo que le viene en gana y Berna lo da como un hecho. Un día voy a mover mis fichas y se irán de espaldas. Ahora no puedo pelear, la realidad me rebasa y oprime. *Adecuado,* ¿qué rayos entiende por eso? Envié copias de un CD acústico a las direcciones que sugirió *Anfetaminas* y aún no hay respuesta. Maya ha llamado fingiendo ser mi agente y las secretarias aseguran que estoy en lista de espera. Entre tanto él habla sin pausa detrás del vidrio sucio de moco y parece tranquilo, satisfecho, como si acabara de echar chorros de semen dentro de una linda mujer. Moriría por quitarme este gesto amargo de la cara y ser como él. Un tipo alegre. *Afloja la cara* me dice. Tiene razón, estos músculos deben odiarme. Maya me azuza, lo hace porque cree en mí. Odio eso y no puedo evitarlo. Toda la vida odié a la gente que se entusiasma con otra gente. Deberían sólo meter la nariz en su propio trasero y respirar largamente. Y los que salen en la tele repitiendo que nada es imposible, a ellos los embutiría con sumo placer en la máquina de moler sesos. Otra cosa que no soporto es que esculque mis canciones y descubra que se parecen a las de... y es verdad, ya fueron hechas. El ritmo está atrapado, la armonía se agotó, la gente come cutre mientras me martirizo tratando de crear la diferencia. Maya, Berna y los de la emisora aseguran que tengo talento. Desearía escuchar eso de alguien respetable. Un pez gordo que me diera confianza. En la tele están esos aduladores que finjo despreciar. Los veo lanzar nombre tras nombre y bajo la ducha espero mi turno.

—Ey, pásame el cable 37. ¡Muévete, hombre!

Le paso el cable 37, no entiendo el número, apenas habrá seis cables en la caja. Quizá en otra época fueron 37 o más. Esta basura de emisora se está cayendo pero no termina, sólo parece que se cae. He pensado en no volver, incluso en las mañanas, cuando estoy por llegar, quisiera seguir de largo. Berna dice que Cristo puede darme una mano, según él basta entrar en el templo y hacer una plegaria. Maya está yendo desde hace unos días. En la cama me susurra al oído que Cristo la está transformando. Resisto sus embates. No dudo que Cristo sea buena onda, lo jodido es que su lista debe ser la más larga de todas. Su secretaria debe estar afónica. ¿Cuál sería mi turno en esa lista? Esperar daña los riñones, es casi tan malo como poner tu confianza en alguien.

3

Los domingos en la mañana Maya va al templo y me deja arreglando alguna avería. En un apartamento nunca faltan cosas que enderezar. Una vez terminada mi labor salgo a tomar aire. Cerca hay un parque donde encuentro a mis vecinos, los que prefieren arreglar averías para evitar la misa. Me tumbo en la hierba, recuesto la cabeza en un tronco y observo en derredor. Los árboles que rodean el parque no son altos y de copas frondosas como suele haber en las películas; son pequeños, flacos y deshojados (recuerdan a esos paraguas que el constante uso reduce a varillas y jirones de tela). El sol de la mañana es agradable. Como los árboles son tan feos prefiero mirar hacia arriba, al enorme vacío sin forma. Lo miro sin espabilar por un rato, trato de descubrir algo pero sólo hay manchas dentro de manchas y nubes pasajeras. Berna suele usar la palabra vacío para referirse a un hombre sin Cristo: *Vacío, repleto de vacío sin forma.* Y agrega: *Déjalo darle forma a tu vacío.* Habla con una certeza que espanta. Me dolería mucho saber que la pierde, que viene a visitarme y dice: *Cristo era una farsa.* Deseo que Cristo siga con él, dándole forma a su vacío. *¿Y qué pasa si el vacío tiene forma?* Berna sonríe y responde: *Es mucho menos vacío.*

El sol calienta y mis vecinos abandonan el parque. Sigo la hilera de hombres sin afeitar. Ahora jugarán dominó o damas en sus terrazas hasta el atardecer. Me desentiendo de ellos y regreso a mi hueco. Con una cerveza y el control de la tele entre manos estoy perfecto. Al poco rato llega Maya con bolsas de supermercado. La ayudo a cocinar y entre zanahorias que hierven y carnes que se descongelan hay caricias. Me resume la charla del pastor: *Cero odio, cero violencia, Cristo en el corazón. Sin él no hay boleto al cielo. Él cuida las plantas, los animales y restaura el amor.* Encierro su cintura en mis brazos y aplasto mis labios contra los suyos, Cristo está allí y es bienvenido. Ella escapa alegre y revolotea en la cocina; un pájaro blanco y moreno de cuyas manos salen polvos mágicos que le darán el punto exacto a la comida. Pájaro y liebre dentro del hueco, el resto afuera. Pájaro nudo y liebre resistencia. Y le digo: *Nena, agua de luna.* El pájaro gira enloquecido y escapa otra vez. Pájaro cruel, dueño de sí. Y lo atrapo con furia y no escucho cuando dice que algo se quema porque soy eso que dice. Pájaro fuego y liebre papel. Luego, inexorables, la quietud y el frío sideral se instalan.

—Es sólo arroz y verdura, Maya.

Pero ya no es pájaro, apenas mujer. Hay distancia entre ambos y la cocina apesta y tendré que limpiar las paredes y devolverle el brillo a las ollas.

—5.760 pesos calcinados —dice.

Berna acaba de llegar y ella lo usa de referente, lo llama hombre equilibrio, amigo de Dios. Me dan oleadas de celos pero no las dejo salir.

—¿Tienen un plan B? —pregunta el amigo de Dios desde la sala.

—Alejarme de este olor —dice Maya—. Podemos ir al chino de la vuelta mientras el señor *liebre* hace lo suyo.

Y friego superficies sin encontrar fondo, friego ruinas desdeñosas. Se queja de mi poco juicio, de mis fintas a los oficios menores, a sus requiebros. Un arroz nos separa, una masa hedionda e inútil, siempre ocurre así. A cambio de una sonrisa quiere una promesa. Y le digo: *El templo no, ca-*

riño. Y se pone dura y fría como un sapo de yeso. Berna y ella están por salir y yo friego superficies.

—Inténtalo al menos —dice dando un portazo.

Superficies frías y largas sin charcos de luz, superficies oscuras, empecinadas, paredes obvias y la culpa entra a gotas. Hay que raspar la escoria y un poco de oro se pega y cae con ella. El oro y la escoria tienen cosas afines, viejas complicidades. Pegada en la puerta de la nevera está la lista de precios. *5.760 pesos calcinados*. Ellos regresan e irrumpen en la cocina con sus cajitas blancas. Sobre cada cajita está el inexpugnable nombre en rojo del restaurante. Ella vacía todo en un recipiente; son toneladas de arroz chino por caja.

—Iré —digo.

Y otra vez es pájaro, pájaro risa, pájaro abeja que zumba y ya no importa. Mi impulso vital se ha ido, la superficie reina.

4

Está sentada con las piernas encima de la silla, la falda se arruga contra el vientre y parte de sus nalgas quedan al aire; un paisaje de miedo. Me llaman esas nalgas, estoy atorado en ellas, por lejos que vaya veo y veo ese paisaje. Ella lee Cosmopolitan para desentrañar la naturaleza masculina. *Mi* naturaleza masculina, supongo. Se nutre de dietas y consejos prácticos y, obvio, los tests personales estilo: Él vs Ella (a, b y c son respuestas a favor; d y e juegan en mi contra). Creo tener los necesarios a, b y c para que esté tranquila y entonces Cosmopolitan sale al quite y la seguidilla de d y e vuelcan el resultado: *Tu pareja es un pepino.* Las opciones, sobre un ciento por ciento de a, b y c, eran:

89%: Es un hombre estable de al menos 1,70 m.

64%: Sensible y gracioso, a ratos pierde el control.

57%: Come a escondidas tus chocolates.

23%: Nunca lo dejes a solas con un bebé.

11%: Sé positiva: los calvos son hogareños.

0,7%: ¡Tienes a un pepino transgénico como pareja!

Me observa por encima de la revista y vuelve a la lectura. Me cuesta poco imaginar lo que han escrito para la opción 0,7%: *Conserva la calma, pase lo que pase eres una chica Cosmo. Entre un pepino transgénico y un hombre corriente no es que haya diferencias insalvables. Mide el largo de tus piernas y si no alcanzas al menos 1,47 m puedes olvidarte de Ri-*

chard Gare y concentrarte en el siguiente test: *Trucos para conservar un pepino.* Lo que sigue es detritus de horóscopos y sicología de tienda. Ella lee cada línea como si fuera el *Diario de un seductor* de Kierkegaard. Una vez vi a un tipo leyendo ese libro y tenía la misma actitud concentrada y pretenciosa de Maya. ¿Sabrá ella el segundo nombre de Kierkegaard? Nunca leí nada suyo, pero a principios de año tenía varada una canción; necesitaba algo que rimara con *to be* y me puse a buscar en internet. De repente apareció en la pantalla Aabye, Kierkegaard Soren y me gustó tanto Aabye que hasta memoricé los apretados datos biográficos que había en la página y un largo párrafo de *El concepto de la angustia.* La canción se llamaba *Cuando tú no estás,* luego de incluir Aabye me pareció que debía reforzar el título y lo cambié por *El avispado Soren Aabye.* No es una canción sobre él, ni siquiera creo que en danés Aabye rime con *to be,* como dije sólo leí unos datos biográficos. Sin embargo, un danés jorobado, cuya única novia le duró menos de un año, era el cómplice ideal para mi ulterior propósito. ¿Lo olvidaron?: me impuse la misión de inocular pequeñas dosis de absurdo en la música contemporánea. Si quiero llegar a algún lado debo hacer la diferencia. Tengo en mente otra canción que titularé *Nunca toqué a Regina Olsen* (la famosa única ex novia de Kierkegaard). Maya no cesa de buscar nuestras afinidades electivas en la revista y, obvio, Cosmopolitan acrecienta sus dudas. La duda es un gran negocio; nunca existirán los zapatos perfectos, la comida ideal, el detergente mágico. Cada producto se presenta a sí mismo como el esperado Mesías. Se gastan millones en avisos publicitarios dedicados a denigrar de los rivales. Sólo puede haber un mesías, el resto son falsos profetas: *Un pepino transgénico puede aprender ruso, disputar carreras de Fórmula Uno, ganar el Oscar como actor principal (sobre todo si la lista de nominados la completan un tomate asesino, Kevin Kostner, la tapa de un desagüe y el revés de esa tapa: Tom Hanks). Algunos expertos sospechan que Eros Ramazzotti y el actual presidente de USA son pepinos transgénicos (aunque éste último haya mutado a tomate asesino).* Si pudiera pedir tres deseos el primero sería convertir de nuevo en árbol cada revista Cosmopolitan, el segundo pasarme los próximos 39 años pegado al trasero de Maya y el tercero llegar al número uno de cualquier lista. Es increíble que la mayor parte del tiempo su trasero valga para ella menos que un trasto y para mí sea la montaña rusa. Alguien, quizá Berna, tuvo ese trasero antes que yo, alguien rayó su corazón y dibujó el tatuaje en su espalda y otro más hondo, uno invisible, en su trasero. Sentada allí parece inofensiva pero basta que levante la vista y se muerda el labio inferior para saber que no puedes descuidarte.

—Maya.

—¿Sí?

—Hablemos del asunto.

—¿Qué asunto?

—Ese asunto.

—¿Mi culo?

—Creo que sí.

—¿Qué podemos hablar de mi culo?

—Mucho —digo sin perderlo de vista. Ella baja las piernas y el paraíso se esfuma—. De eso siempre hay que hablar.

—No me jodas, liebre.

—Tú me jodes, Maya.

—Es mi culo y te pertenece, ¿qué más quieres?

—Saber de *Las regiones frías.*

—¿Y qué relación tiene eso con mi culo?

—Dime tú.

—No sé de qué putas hablas —el tono de su voz y su expresión parecen sinceros. No obstante, la luz roja de mi escepticismo continúa encendida—. ¿Quieres volverme loca?

—Me refiero a lo que haces de noche.

—¿Te lo estoy chupando mal?

—¿Quién te hizo el maldito tatuaje?

—¡Otra vez esa vaina! ¿Qué te pregunto yo? Dijiste que eras una liebre y me gustas así. Anda, salta y ve por tus zanahorias.

Nos miramos a fondo y decido que es suficiente, así que voy afuera y me siento en la barda que rodea el apartamento. Ella sigue gritando y luego empieza a tirar cosas, algunos objetos atraviesan la ventana y caen en el jardín. Hay una breve tregua seguida de un ruido extraño. Me asomo y la veo romper sus afiches de cine. Le digo que pare pero es una masa de furia incontenible. Más objetos vuelan hacia la calle: los adornos de la pared, la tele, una silla, aparejos de cocina, libros, una guitarra... Entonces me planto en medio de la sala y aquella fiera me cae encima con uñas y dientes. Siento el ardor y los hilos de sangre surcando mi cara y la empujo con todas mis fuerzas. La veo recular hasta la cocina y enseguida vuelve a la carga. Trata de pegarme una patada en las huevas pero logro cazarla con un gancho al hígado y se derrumba y entre sollozos se va quedando inmóvil. Me agacho y la acaricio, su mirada está al tope de odio y dice:

—Hazme el amor, hijueputa, házmelo ya.

Y se lo hago, muy suave, en cámara lenta porque deseo que dure. Toco cada extremo de su cuerpo y me hundo en su trasero hasta sentir el hueso que alberga su alma. Mis lágrimas son largas y afiladas como hojas de hierba. Después salimos a recoger las cosas mientras desde las rendijas niños y adultos observan a la pareja demente. El silencio es el rasgo de la derrota en la raza humana y en todas las espléndidas cosas que no son la raza humana. Levanta la guitarra y me doy cuenta que la ternura está otra vez en sus ojos. Entramos con los últimos objetos.

5

—...Me despierto sobre algo frío, huele mal y todo parece envuelto en una nube violeta. No hay montañas ni mar ni árboles sólo una planicie brillante sobre la cual se han construido enormes casas de cristal. Todas las personas son pálidas, largas e inexpresivas como un pan francés o como un francés mismo. Sí, podría tratarse de una galaxia habitada por franceses. Eso explicaría lo aburrido del ambiente, el mal olor y los exagerados adornos en las fachadas. Pero estas personas no tienen ojos ni boca y sus narices son largas y puntiagudas como las de un... bueno, no tan largas. En el segundo piso de una casa estás tú con un bebé; el bebé no es francés, es un bebé normal. La puerta de la casa está abierta y entro, llego a un hall y subo las escaleras que parecen interminables. Arriba te encuentro y me saludas con besos en las mejillas. Tratas de pasarme al bebé que empieza a chillar como un murciélago. Te insulto por tratar de engañarme con el bebé de otra. El cristal de las ventanas salta hecho añicos y el bebé no para sus chillidos. Alzo el pulgar y lo dirijo hacia el bebé que sale disparado por la ventana. Insistes en que el bebé es mío. Berna está en la puerta vestido de mayordomo, le preguntas de quién es el bebé y él me señala. Corro hasta la ventana y veo al bebé abajo, jugando entre las flores. Me explicas que es un bebé irrompible. Berna tampoco tiene ojos ni boca...

—Nunca he tenido sueños así —estira los brazos y las piernas, hace un gesto de dolor—. Pegas duro, liebre.

—¿Qué sueñas?

—Lo máximo ha sido que soy una de las Chicas Superpoderosas.

—¿Cuál?

—Bellota.

—Es antipática, me gusta más Bombón —se levanta y corre hacia la sala—. ¿Adónde vas?

—Necesito un baño. ¿Vienes?

La sigo. Su pijama y la mía quedan en el camino.

—¿Leíste *Técnica del dedo pulgar*?

—Unos apartes.

—¿Dónde lo dejaste?

—Se lo devolví a Berna.

—¿A Berna? ¿Por qué a Berna?

—¿Es suyo, no?

—No, es mío.

—Pero tiene su firma.

Se mete en la ducha y abre la llave. Le explico que conseguí el libro en un negocio de segunda cerca a la Torre del Reloj. Al revisarlo encontré un garabato en la tercera página y supuse que lo habría hecho un niño del anterior dueño.

—¿Se sorprendió al ver el libro?

—Huummm... No sé.

—¿Estaba nervioso?

—Creo que sí —me jala por la mano al interior de la ducha—. ¿Qué tiene de especial ese libro?

—Hay una secta que lo sigue.

—¿En serio? —El agua corre por su cuerpo descubriendo moretones y heridas superficiales. Su voz es más aguda de lo normal—. ¿Y qué hacen? ¿Se arrodillan ante el afiche de Bruce Lee?

—Practican esa técnica.

—¿Cuántas horas al día?

—No sé —me pasa el jabón y se pone de espaldas—. Depende de la resistencia.

—¿Y para qué sirve?

—Según Berna, quien domine la técnica puede matar a un hombre sin tocarlo.

—Te advertí que era un mentiroso.

Cierro la llave y enjabono su espalda, le doy duro al tatuaje pero no cede, le doy hasta irritar la piel y el dibujo se hace más nítido y sé que Berna está allí y lo odio, siempre estará allí, en esa parte de su cuerpo que no quiere ser mía. Y el agua se lleva su piel sin quitarle un ápice de dragón.

6

El primer indicio fue un par de perros degollados en el parque de forma asquerosa: les habían cortado el sexo y se lo habían metido en la boca. El sector perdió su apacible estilo y los buenos vecinos se miraban de soslayo. Maya enfermó, ella había alimentado muchas veces a esos perros. Eran animales mansos que se daban con todo el mundo. La policía estuvo husmeando un rato y haciendo preguntas estúpidas:

—¿Le gustan las mascotas?

—Me encantan —dije.

—¿Por qué no tiene una?

—La tengo a ella.

Maya estaba regando el jardín, el policía le echó un vistazo a su trasero.

—Entiendo —dijo.

—No creo.

Volvió a mirar aquel trasero.

—Sí, lo entiendo.

—¿Qué entiende?

—Su odio por las mascotas.

—No odio a las mascotas, odio a la gente.

—¿Y quién no? —tenía los dientes oscuros y los ojos oscuros y la mente oscura. Un buen policía sin duda—. ¿Cómo se llama?

—Pregúntele.

Observó de nuevo a la bella chica agachada entre las plantas, se despidió con un gesto y caminó por el centro de la calle con los brazos arqueados, su mano derecha rozaba la pistola. Maya entró a la casa.

Tormenta y Gonzo, los perros, eran propiedad de Khaterina y las mayores sospechas recaían en ella. Maya estaba furiosa, no podía aceptar esos comentarios. Sabía que los perros fueron la única compañía de Khaterina desde la muerte del marido. Para el resto de vecinos Khaterina era sólo una anciana loca que fumaba tabaco y corría desnuda bajo la lluvia (lo había hecho una semana después que murió el marido).

—Me gustaría correr así —dijo Maya—. Es el tipo de locura que me gusta.

Estaba de acuerdo; la gente que no corre desnuda bajo la lluvia debería estar en la cárcel. También los que no sienten asco dentro de un supermercado. Pero siempre la gente solitaria, que va en contravía, encaja mejor en los temores de las pequeñas mentes egoístas. Nadie piensa en lo peligrosos que son quienes evitan pisar el césped y mirar a los ojos. Cuando Berna se enteró tuvo una crisis de nervios; él era un amante de perros y gatos. Hasta propuso organizar una marcha pacífica. Maya seguía mal, tenía fiebre y había vomitado un par de veces. Berna trajo amigos del templo que con sus oraciones la sacaron del mutismo. Durante algunas semanas nada ocurrió.

7

El segundo indicio fue que las noches se hicieron frías. Esta vez no se encendieron las alarmas; nadie quería discutir un cambio tan agradable. En la emisora, cuando aludía al tema de las bajas temperaturas nocturnas, creían que estaba bromeando. Al parecer nuestro sector era el único de Ciudad Inmóvil donde se había instalado ese extraño y repentino invierno. Maya usaba dos suéteres para dormir. El frío nos hizo más apasionados, retozábamos como niños y ella se ponía roja y temblaba como la cuerda de una guitarra. Desde la muerte de los perros se hizo más introspectiva, dejó de leer Cosmopolitan y trajo a casa libros de poesía y ensayo, su pelo pasó de castaño a rubio platinado, los tacones de sus zapatos aumentaron varios centímetros y compró ropa más sobria y oscura. Su pinta dark y Virginia Woolf en la mesa de noche resultaban inquietantes. Con toda esa gama de nuevas experiencias el tono de nuestros diálogos cogió un matiz denso y arrogante que me sacaba la chispa. La intensidad sexual iba en aumento pero faltaban sus maldiciones y no soportaba que tuviera una explicación para todo, aún para las cosas más triviales. Me sentí acorralado en un planeta de hielo donde las mujeres citaban cada tres minutos a Richard Llewellyn y eran demasiado altas, demasiado rubias y bien vestidas para un roquero de barrio. Pensé: *time out, liebre. Estás fuera de línea, se trata de una mujer y tratar de descifrarlas es un suicidio.* Hablé con Berna, supuse que estaría preocupado porque Maya había dejado de ir al templo. Me aconsejó tener paciencia, pero yo quería de vuelta a mi Maya, a la maldiciente y elusiva pero suave y eficaz en el cariño y con burbujas en la mente. Una Maya de tacones bajos y caricia fácil. Las rubias eran estupendas en las fotos pero en vivo parecían chatarra. Eran chatarra.

—¿Alguna pregunta?

—No —digo sin apartar la vista del clavo.

—¿Ninguna? —golpeo el clavo hasta que su cabeza se hunde en la madera y aún le doy unos cuantos martillazos más en los bordes. Levanto la cara y allí está, esperando que reviente, pero lo tengo controlado y sólo atina a repetir—. ¿De verdad, ninguna?

—No. ¿Y tú?

—Por favor, ¿yo?

Mientras recojo las herramientas ella tararea una de mis canciones variando el ritmo a propósito para que suene horrible. Cuando entro en la casa se viene detrás imitando mi forma de caminar. Berna está en la mecedora dándole hacia atrás y adelante, hace días que viene y permanece horas allí. Las balanzas han hecho zanjas en el piso y pronto se verá la tierra. Él sigue empecinado, ajeno a las consecuencias. Maya deja de seguirme y va a sentarse en las piernas de Berna.

—¿Qué preguntó la liebre?

—Nada —su voz tiene un fastidioso pitido—. ¿Cierto que no?

Niego con la cabeza. Ellos siguen hablando en clave. Maya hace los chistes y Berna ríe como un subnormal y ella también ríe. Me ignoran, se encierran en su idioma como harían un par de turistas gringos frente a un humilde pescador del Caribe. Ella se acurruca contra su pecho y él se mece cada vez más rápido sin importarle el crujido de las balanzas. Una nube de polvo se levanta del piso y los envuelve.

Siento cómo el polvo entra en mis ojos, pero los mantengo abiertos hasta que el dolor es insoportable. Dentro del pecho mi corazón es pequeño y cuadrado como el reloj de una bomba, a mis oídos llega un tic-tac prometedor... Habría perdido un brazo por preguntarle mil cosas, sólo que esta vez iba a ser sincera y no podía darle esa oportunidad: en sus ojos se asomaban aquellas franjas de luz púrpura y la piel de su rostro era incandescente. El vértigo de la mecedora aminora y el polvo regresa al piso. Su pelo es un desastre y tiene los ojos irritados.

—¿Te gusta el frío?

—Mucho.

—A mí no —dijo ella.

Me pareció que mentía. Las dudas surcaban como abejas furiosas la pantalla oscura detrás de mi ojos. Salí de la casa y fui hasta el parque. Ella no vino, ya no tenía prisa, sabía que no iría demasiado lejos, que su culo estaba entre mis sienes y apretaba como nunca. Apretaba porque me estaba deshaciendo. Miré arriba, no había una sola estrella en torno a aquella exasperante luna que amenazaba con tragarse el cielo. Me senté en una banca y no me sorprendió que Berna estuviera en la banca de enfrente. La blanca luz que se colaba entre las precarias copas de los árboles iluminaba su rostro de gnomo pervertido. Traté de abrir viejos temas pero no se dejó llevar. Antes de irse murmuró algo sobre el exceso de curiosidad y lo inútil que es buscarle tres patas al gato. A pesar del abrazo, y la palmada en el hombro, lo sentí distante. Nuestra amistad se había hendido. Estaba solo.

8

Estábamos haciendo el amor y de improviso me apartó y dijo:

—Regreso enseguida.

La escuché buscar algo en la cocina, después abrió la llave del agua y volvió sin haberla cerrado. Se tumbó en la cama, tenía una herida entre el ombligo y el sexo que sangraba. Me asusté.

—¿Qué te hiciste ahí?

—Un agujero nuevo.

—Tengo que llevarte al hospital.

—No seas estúpido, sólo ponlo allí.

Traté de taponar la herida con la sábana. Me abrazó, gotas de sangre cayeron en mis piernas. Me besó en la boca, su mano acarició mi sexo. Sentí que su cara entraba en la mía y sus pensamientos borraban los míos. Se me puso duro como un crayón y todo empezó a girar. Ella se recostó en la almohada, abrió las piernas y llevó mi sexo hasta su herida. Era profunda y caliente. Empezó a sacudirse y me sacudí con ella. Mi mente estaba en blanco, un olor a menta invadió el aire. La sensación era cósmica, como si flotara en un mar espeso y pegajoso, un mar de algodón de azúcar. Su boca parecía comerme el cerebro y una a una se fueron desconectando las partes de mi cuerpo. No podía verla, éramos sólo una mancha larga, angosta, de color violeta, sobre un muro de vidrio... No sé cuánto duró aquello porque al despertar el sol estaba alto. Encontré una nota: *Riega las plantas o morirán de sed. También soy una planta, una pequeña que necesita crecer.*

Mientras caminaba hacia el baño tuve la impresión de haber perdido 20 kilos, mis pies parecían flotar a cinco centímetros del piso. ¿Qué clase de mujer era aquella? Cada instante sabía menos. Me quité la sangre con un trapo y regué las plantas. No estaba seguro que la nota estuviera dirigida a mí, algo en la forma como estaban repartidas las palabras me hacía pensar en otro destinatario. Parecía el mensaje de una niña a un adulto. El dragón japonés de feria centelleó en mi mente como un aviso de neón. Imaginé a los desgraciados animales desangrándose sobre la hierba y recordé una casa descolorida de la infancia donde vivía una niña llamada Paula que estranguló a su gato.

Nuestra convivencia se hizo cada vez más difícil, estábamos al límite. Hasta el mínimo gesto era un fastidio y fingir lo contrario exigía una carga emocional extra. El agujero había sanado, podía meterla allí y moverme a gusto sin producir más que unas gotas de sangre. Maya no sentía dolor o éste era tan leve que se acercaba al placer. La sangre que se pegaba a la picha tenía un excelente aspecto. Le dábamos al agujero hasta tres veces al día y ella tenía fuertes orgasmos. Los demás agujeros cayeron en desuso, a veces los usaba un poco sin lograr conectar a Maya que aprovechaba para pintarse las uñas o leer a Emily Dickinson.

Maya era minuciosa y pulcra hasta la obsesión, me cabreaba esto, siempre he pensado que un poco de mugre y desorden hacen la vida más llevadera. Por eso me extrañó sentir cierto olor en su boca, no era terrible pero en alguien tan aséptico resultaba chocante. Es seguro que tratándose de otra persona lo habría pasado por alto, la mayoría tenemos uno que otro detalle adverso de vez en cuando o en forma permanente y uno se acostumbra porque vivir también implica eso. Pero estamos hablando de la señora hipoclorito, detergente, cepillo dental con cerdas removibles, gotas nasales, gárgaras de sal y yodo. Era Maya cero gérmenes, la enemiga número uno del sarro. Maya albahaca y cereal crudo. No podía obviar esa impresión de olor, no saliendo de una boca que cepillaban siete veces al día. Estaba pensando en cómo darle la información cuando sus pies empezaron a apestar. Me pareció tan evidente que empecé por esto último y ella me mandó al infierno y pensé: *llevo meses allí, nena.*

9

Un día nos embriagamos. Ella bailó sobre una mesa hasta que le salieron vejigas en los pies. Bailaba increíble, como sólo lo hacen los profesionales y eso era una brecha más entre ambos, otro misterio hasta el fin del mundo. Seguí sus cabriolas y me llené más y más de amor y más y más de dudas:

—Nena, ¿por qué ese agujero?

—¿No te gusta? —giró sobre sus talones y cayó de espaldas—. Querías ser el primero, ya lo eres. Nadie más ha entrado allí.

Se levantó sin apoyarse en las manos, impulsada por su trasero hacia el aire. La voz de Irene Cara la llevaba de un lado a otro del espacio.

—Sabes que soy un idiota, no puedes hacerme caso.

—También voy a quemar el tatuaje...

Se dirigió a la cocina en la punta de los pies y encendió la estufa. La abracé por la espalda y la aparté del fuego.

—Amo ese tatuaje, te lo juro.

—Eres una liebre mentirosa.

Y allí estaba, después de días y noches ásperos, con esta mujer. Una taquillera, una jovencita todavía. Y lo otro, lo que pesaba toneladas: días y noches tan arduos como siglos y tan letales como respirar en Marte. Ira, desenfreno y algo criminal detrás de esos ojos juguetones. Ella me hacía correr en círculos como un ratón de laboratorio y luego, cuando estaba fundido, descargaba su amor en mí. Su amor no era continuo, un segundo estaba allí y al siguiente se ahogaba en la incoherencia y el hastío. Maya tenía un pie aquí y el otro en la novena dimensión. Su mente salía a navegar el mar violeta y me dejaba solo. Mi amor en cambio era gradual e inofensivo, aumentaba y aumentaba sin control; su culito llenaba mi alma, su estrecho culito entre el sexo y el ombligo. Sin ella no tenía futuro y parecía saberlo; mi ánimo dependía del suyo, mis ganas de vivir o ir al baño estaban en su misma frecuencia. Me costaba salir en las mañanas y verla coger otra ruta y en la noche me ardía la piel de soportar su cuadrado silencio, su rigurosa lectura, su espalda en mi cara. ¿Quiénes más tendrían el tatuaje? Mi mente se atestaba de raudas avenidas y callejones sin fondo. Estaba allí, suspendido en el gancho del carnicero, sin posibilidad de fuga. Afuera un frío sobrenatural quemaba las plantas y la mujer del vecino cantaba sones estivales, ajena a mí, al pequeño hombre descalzo que va en puntillas a la cocina por un vaso de leche y derrama un poco sobre el pijama. Al pequeño hombre que llora, tiembla y vuelve a meter la cara en el tatuaje.

—Me gustas, liebre, eres distinto.

La liebre guarda silencio, no le importa ser distinto, le basta y sobra con tenerla a ella. Recuerda que la conoció en la playa un atardecer; parecía una niña recogiendo caracuchas y ya esa niña no está más. El agua golpeaba la roca y mojaba su falda: una niña sin padres ni fortuna, una niña de viaje y él se acercó. Estaba varado y ella cambió el panorama. Caminaron por la orilla, ella tomó su mano y le hizo pensar que la señora Fortuna por fin se acordaba de él. Hablaron de música y ciudades. Se contaron sus historias sin ahondar en detalles. Hubo una racha de citas y él creyó que sabía de ella más que nadie. No tuvo oportunidad de sopesar los daños ni imaginar un antes; ella estaba enquistada, la sentía al respirar. Enquistada en los órganos vitales como una bala y ya se sabe que ese tipo de balas no se pueden sacar sin riesgo de muerte.

—¿Quieres más?

Bebe un sorbo y me regresa la botella. Gira y parece a punto de caer y mientras gira observa, piensa, intuye. Da un paso atrás, se impulsa y cae sobre mí. Sus piernas rodean mi cintura y giramos.

—Basta —dice. La dejo ir y se tiende en el sofá—. Deberías ser invisible.

Su mirada es un pedazo de hielo. Se mueve a tal velocidad que no puedo seguirla ni saber qué diablos quiere. *Anfetaminas Joe* está preocupado por mi pérdida de peso. *Algo te consume, algo feroz.* Maya cambia de mirada, ahora es un tizón de leña. ¿Cómo podría dejarla? Es una niña perdida que encontré en la playa. Su dolor es antiguo, como de palos que en un árbol se rascan y soles negros. Es alérgica a las preguntas y al jugo de piña. *Te cortaré la lengua*: sus amenazas me rodean como alacranes. *Te sacaré las tripas*: su mirada está en blanco.

10

Recibo una llamada de mi hermana para anunciarme que la espere en la puerta de la emisora. Mientras espero trato de adivinar qué cosas discuten ella y su marido en la cama. Si alguna vez le ha reprochado la forma como la acaricia (en caso que haya caricias) o le exige nuevos movimientos o un beso en determinada parte. Mi hermana no es lo que llamaría una mujer efusiva. De niña se avergonzaba de tener miedo o calor, si algún pariente le pedía un beso huía despavorida y se ocultaba a llorar. A través de la vida muchas veces quise preguntarle por qué actuaba así y nunca tuve el coraje. No sé adónde irán a parar todas las preguntas que no hacemos. ¿Y los secretos? ¿Y cada frase que se perdió un instante antes de salir? Debe ser un lugar muy grande, una vasta bodega en un planeta sin nombre. Lo cruel del asunto es que esas preguntas y frases, esos secretos que nadie destapó, pudieron cambiar el destino de una persona o al menos hacerlo menos tormentoso. Vi a mi hermana descender del autobús y caminar hacia mí.

—Hola.

—Hola.

—¿Qué pasa?

—Si sigues con ellos no te dejará ver a las niñas.

—¿Ellos?, ¿quienes son *ellos*?

—El tal Berna y sus amigos.

—¿Qué tienen de malo?

—Son extraterrestres —dijo muy seria—. De noche suben como gatos a los tejados y dejan sus excrementos, es lo que causa el frío en tu calle.

—¿Quién dijo semejante estupidez?

—Alguien que los conoce de antes.

—Pero vende Biblias.

Me abrazó llorando.

—Aún estás a tiempo.

Lo que me irritaba más era que lo supiera; había hecho mi primera visita al templo la tarde anterior y ella tenía una detallada crónica. El exagerado maquillaje de Maya, su nuevo color de pelo (rojo quemado), el cordón que le faltaba a uno de mis zapatos. ¿Qué clase de arpía tenía por hermana?

—Estás muy pálida.

—Tuve un aborto —dijo fingiendo una calma que estaba lejos de sentir—. Según el médico fue culpa del estrés.

—¿Han tenido problemas?

—Los gritos de siempre, ya sabes.

—Si te toca un pelo...

—Si me toca un pelo, ¿qué?

Me mordí el labio inferior hasta que salió sangre. Sus ojos brillaban como cuando de niña le entraba el miedo y corría a esconderse. La impotencia y las dudas me inflaban las sienes y el coraje no aparecía. *Si me toca un pelo, ¿qué?* Me mordí la lengua hasta que el dolor fue insoportable y entonces hice la pregunta o eso creí: *¿Lo hizo, verdad?* Puso un dedo en el labio herido y se dio vuelta. Antes que pudiera reaccionar ya estaba diciéndome adiós con la mano desde la ventanilla del autobús. Respondí al saludo y la vi perderse en la distancia y supe con angustia en el corazón que jamás haría esa pregunta.

11

Estaba por salir cuando me entregaron el sobre. Un largo e innecesario discurso para dos lacónicas líneas finales. No me importaba un pito el presupuesto ni la pérdida del cable 19. Estaba en la calle. Punto. Me despedí de *Anfetaminas Joe* y mentimos sobre vernos la próxima semana y hacer cosas juntos. Un empleo, por miserable que sea y poco que ganes, ayuda a guardar las apariencias. Caminé hacia el paradero con las orejas gachas. *Lo bueno de las cosas malas / es que pueden ser peor* decía una de mis canciones y ahora supe a qué me refería. El autobús estaba repleto y un tipo se puso detrás de mí. Otra parada y el tipo cada vez más cerca. Le di un codazo y se armó la grande. Salí con una ceja partida y un zapato menos (al que le faltaba un cordón), fuera de eso todo estaba en orden: no había sentido nada donde no se debe sentir nada. La Pantera Rosa podía irse al diablo, ni siquiera me gustaba ese programa. En el hospital me cogieron siete puntos y los taparon con un parche. Otros pasajeros habían tenido lesiones más graves; los observé desde mi camilla todavía preguntándose cómo había empezado aquello. Al tipo que estaba detrás no llegué a verle la cara, podría ser cualquiera: el gordo de la derecha con el brazo roto o el negro de la izquierda con la cortada en el pecho. De todos modos no quería saberlo. Pagué por la sutura y estuve dando vueltas por ahí. En el parque pregunté por Ciro y Rep, nadie los había visto. Necesitaba un amigo. ¿Acaso me quedaba un amigo?

Maya miró el parche y no hizo ningún comentario. Le conté que estaba varado de nuevo.

—Berna te conseguirá algo.

—Prefiero hacerlo a mi modo.

—¿Cuál es tu modo?

El pelo rojo la afeaba, se veía cómica y sucia. Me di cuenta que había engordado últimamente. De la niña que recogía caracuchas no quedaba mucho. Fui hasta el espejo del baño: el parche me daba aire de púgil, mi panza estaba flácida y seguía perdiendo pelo; nada mal para un roquero. La belleza era responsabilidad de Maya y se estaba yendo por el desagüe. Nos teníamos cariño y lo del sexo funcionaba con cierta independencia en aquel terreno minado. Llamarle amor a lo nuestro sería exagerar; no me servía que miles de personas se pasaran la vida juntos con menos, quería más: noches en África y amaneceres en el Mato Grosso. Una pelirroja con lagañas y aire de sabelotodo no aparecía entre las cosas que llevaría a una isla desierta, ni siquiera a la discoteca del barrio chino. Paseé mi parche por la sala sin despertar su curiosidad. Era su temperamento, había nacido así y se iría al infierno a hincharle las pelotas al diablo con la misma sonrisita.

Me muevo con el sexo atornillado a su vientre, ella se estira abajo y lanza breves quejidos. Su pasión está medida, no puedo llevarla donde quiero; es inamovible, árida y distante como un desierto y como éste arde. Arde sin quemarse. Mi combate está perdido, mi ansia no toca su ansia, mi dolor no existe en su dolor. Es mi vecina, la que más cerca vive. El libro de Emily está abierto en la página 39. El poema dice: *Esta es mi carta al mundo que nunca me escribió.* Para quién carajo escribo canciones. Podría pelar pescado en el muelle o soplar vidrio y hacer botellas sin mover una hoja en un árbol. *Las sencillas noticias que la naturaleza me dio.* Estoy sobre esta mujer y creo haberla amado y ella se estira, sus manos van a un extremo del cuarto y sus pies al otro, se alejan de mí. *En manos que no he visto su mensaje escribió.* El semen sale y baja por oscuros corredores o se queda flotando allí, en medio de ninguna parte. Y eso, chicos que pueblan las playas del mundo, es el salvaje sentimiento, la música íntima, el diálogo perfecto... Son lindas, nos arrastran millas, damos el máximo posible por la abeja reina. Queremos que zumbe, que zumbe hasta morir. Pensaría que estoy amargado y esto tiñe mis palabras. Ojalá fuera así. No. Me da risa ver mi humilde sexo y el final del poema: *Si lo amáis, hijos de perra, juzgadme con amor.* Bueno, la putiada es mía, Emily le hablaba al tordo y al ruiseñor.

12

—¡Otra vez se jodió esta vaina!

Sale del baño y se viste de prisa, mientras lo hace no deja de gritar acerca de la maldita basura que *nadie* saca, de los malditos platos que *nadie* lava y una serie interminable de malditas cosas que *nadie* hace. Sale dando un portazo, un cuadro salta de la pared. Me asomo, guitarra en mano, y la veo. Son las tres de una calurosa tarde. Sobre sus tacones es imponente, varios hombres con cascos plateados la siguen con la mirada hasta que dobla la esquina. De cuando en cuando vienen oleadas de frío pero la humedad ha subido y el aire es denso e inhóspito. La indiferencia de Maya ante los hechos parece confirmar que está involucrada. Sería difícil probarlo, *Las regiones frías* son otra dimensión que no conecta causa y efecto. Aquí, en la superficie, las cosas ocurren respetando una lógica y remitiéndose a los hechos. Bajo esa lógica perdí el empleo y toco 18 horas al día la guitarra; mi chica anda intratable (porque no muevo el fondillo en busca de otro empleo). Resultado: paranoia y delirio de grandeza. Es cierto que dejarse mirar el fondillo 18 horas seguidas pone al descubierto los desajustes. Teníamos una tierna relación que ha derivado al asco o está muy cerca. Las canciones son como los fondillos, si se escuchan una y otra vez la melodía traquea y las palabras muestran su absoluta falsedad. El amor y las canciones tienen mucho que ver: hay canciones que salen al mercado y en dos días logran encabezar el hit parade. Inundan el mundo, suenan en otras galaxias y al poco tiempo nadie se acuerda de ellas y qué decir de quien las cantaba. Muchos han terminado en piojosos clubes esperando otro golpe de suerte y otros en la celda de un manicomio contándole a la pared que alguna vez fueron los tipos más importantes del planeta. Y lo fueron. Estamos en un universo de segunda y debemos vender antes que la mercancía revele sus defectos. Lo otro es el espacio; nada es tan grande como parece cuando dos lo ocupan por tiempo indefinido. El momento crítico del doble cero en que deseamos ser únicos llega sin anunciarse. A los simios no les importa rascarse el culo enfrente de otros ni comerse la banana sucia de mierda. ¿Qué tan lejos estoy de eso? Maya lee para evitarme, los poemas son paredes entre nosotros. *Una habitación propia* se llama el libro de Virginia Woolf que titila sobre la mesa de noche: Dios mío, un simio lo habría captado más pronto. La mugrosa y casi gordita taquillera consume pesos pesados de la palabra para aislarse del músico barato. Tras el mito de la taquillera intelectual estaba la fuga. Quizá sólo fingía leer (¡qué alivio!). Berna ha dejado de venir, según la vecina tuvieron una acalorada discusión: *Casi lo mata cuando la llamó hija de chiflado.*

Arreglo el baño, saco la basura, regreso el cuadro a la pared. ¿Qué más hago? Podría raparme el cráneo, al cabo la vida lo hará muy pronto y con menos estilo. *Las razones de un hombre deshecho / aumentan la voracidad / un hombre deshecho que suplica / que pide perdón a sus pies / es un halago.* Mis propias palabras me apretaban el cuello. En vez de recuperarla, construía el patíbulo. La soga, el aceite, la cabeza pelada.

13

De los gritos pasó al silencio, su territorio sagrado. Allí era insuperable, enroscada en la cama como una serpiente dispuesta a devorar al primer ratón que le importunara el sueño. Opté por pasar las tardes en la zona turística y no tardé en ingresar al circuito de los restaurantes. Entre cover y cover metía algo mío y estudiaba las reacciones. Conseguí dinero, hice amigos. Bebía y llegaba de madrugada al hueco de la serpiente. Ella fingía dormir, mis caricias resbalaban en aquel animal helado y su insondable tatuaje. Una noche lo hicimos, fue feroz: dos peces del mismo tamaño tratando de devorarse. Luego cerró el cuarto y me condenó al sofá. El dinero que le iba dejando se acumuló sobre la nevera. Sin ella a mi lado me abatió el insomnio, el cutre se pegaba a mi alma o como se llame donde duele todo lo que no debería doler. Me estaba enloqueciendo así que tomé la pila de billetes y salí a festejarlo. Pasé tres días seguidos bebiendo y dormía tumbado en la playa con otros de mi especie. Nadie se contaba la historia, bastaba mirarse a los ojos, oler la miseria como dos perros se huelen el culo. Cuando volví era el hombre invisible. Estaba hambriento y vacié la nevera, sin lavarme fui a la cama. Quería enfurecer a la serpiente, que me clavara sus colmillos repletos de veneno, que me echara a golpes. Era la dueña, no iba a oponer resistencia. Saldría gimiendo con el rabo entre las patas. Ella no me hizo caso, ni siquiera mostró fastidio. Había desaparecido de su mente, era un bulto, un mueble cambiando de sitio. Así que seguí bebiendo y rodando por los restaurantes, dejando la piel en la playa y cuando no podía más llegaba al apartamento y me extrañaba que no hubiera cambiado la cerradura. Calculé que lo estábamos haciendo (los dos peces hambrientos) cada nueve días. Sin diálogos, señales de amistad, orgasmos o algo parecido. El sexo no aportaba nada, mejor aún el sexo era la prueba de que la cuenta regresiva había terminado. Sus piernas eran la puerta entre el cielo y el infierno y no hay que ser muy listo para adivinar dónde estaba yo.

Una noche llegó a la playa un calvo fornido y se puso a escucharme con la vista clavada en la guitarra. Tenía tatuajes a lo largo de los brazos y en la espalda el mismo dragón de Maya y Berna. Terminé la canción y le ofrecí mi botella al calvo, éste limpió el pico de la botella en su pantaloneta y bebió un largo sorbo. Toqué un nuevo par de canciones y luego dejé la guitarra sobre mis piernas. El calvo se llamaba Jimi. Le pregunté dónde podía hacerme un dragón de feria igual al suyo.

—No sé —dijo con una voz en extremo aguda que contrastaba con su aspecto—. El viejo que los hacía está muerto; hay otros tatuadores por ahí… ¿Dónde conseguiste la guitarra?

—Es un regalo... —dije y llevado por un impulso agregué— de alguien que vivió en *Las regiones frías*.

Tuvo un ligero gesto y sus ojos brillaron, a duras penas mantuvo el control. Sostuve su mirada.

—Bueno, yo sigo.

Echó a andar por la playa y lo seguí de cerca.

—Oye —se volvió, hizo un gesto despectivo y avanzó unos metros. Lo alcancé en tres zancadas—. Oye...

Observó mi mano sobre su hombro y la quitó como si fuera el cadáver de un insecto. Sus ojos estaban fríos, su barbilla temblaba.

—¿Qué quieres?

—Saber de Berna.

Me acuella con una sola mano y jala hacia arriba, mis pies dejan la arena.

—Si te vuelvo a ver...

Me suelta y caigo en la arena como un mango podrido. Abro la boca en busca de oxígeno. Él se aleja en cámara lenta; concentro mi odio en su figura y espero la explosión. Nada, el hijueperra calvo permanece compacto. Siento el odio pegarse a mi pecho; inútil y blando como excremento de vaca. Y caliente, muy caliente. Recojo la guitarra y me pierdo por ahí. Mientras me pierdo pienso y entre más pienso más me pierdo y ya no quiero estar más así, ya no puedo.

14

Cuando un hombre te separa del piso con facilidad vienen muchas imágenes a la cabeza: una bolita blanca hecha de pelos con una semilla en el centro que flotaba en una habitación y caía lentamente, caía y uno soplaba y otra vez subía y así hasta aburrirte y siempre parecía que ni dejándola sola caería del todo. Era la historia de mi vida: mi cuñado soplaba, F soplaba, Berna, Maya y hasta un maldito calvo. Uno empieza a mirar las moscas de una forma que un hombre no debería, uno pierde la confianza y se va al carajo.

Pensé en correr toda la noche hacia algún punto del océano, en no volver a verla. Pensé que aquellos hombres de cascos plateados entraban al apartamento y le daban su merecido. Pensé en todo lo que era incapaz de hacerle a aquella zorra tramposa. Pero nadie corre toda la noche porque correr cansa, porque en el momento más inoportuno llegan las ganas de cagar. Y esa era la vida, la absoluta y extraordinaria vida de hombres y moscas.

Amanecía, ella estaba en la barda. Apenas me vio saltó a mi encuentro. Me asusté.

—¿Sabes lo que hicieron esos hijueputas? —me había agarrado la mano, sentí su calor, sentí el calor de afuera. La temporada de frío había tocado fin—. ¿Lo sabes?

—No.

—Desechos tóxicos y otras porquerías —hablaba con una rara suavidad, parecía otra. No lograba entrar en su frecuencia—. Ellos asesinaron a Gonzo y Tormenta.

—¿Quiénes?

—Los malditos gringos.

—No entiendo un pito, Maya.

—Ves aquel playón —señaló con el dedo una zona baldía aledaña al barrio—. Allí estaba enterrada la basura radiactiva que causaba el frío.

El playón estaba en la pendiente de un arroyo y se veían muchas personas curioseando, también algunos soldados.

—¿Y qué tienen los perros que ver?

—Les gusta enterrar y desenterrar huesos y temían que sacaran la inmundicia. Lo de Gonzo y Tormenta fue para crear pánico y que nadie dejara salir sus mascotas.

—Vi unos tipos con cascos ayer.

—Trataban de llevarse los tanques antes que llegara la prensa. El frío estaba por causar una nevada y sabían que la televisión haría un escándalo. Alguien los descubrió esta madrugada y se armó el jaleo. Hay cámaras, ambulancias y policías allá abajo.

—¿Por qué culpan a los gringos?

—Uno de sus barcos trajo la inmundicia —a medida que pierde la paciencia su voz es más aguda—. Hacen lo mismo en África. Es de lo que habla Deleuze en *Las sociedades de control.*

Me quedé perplejo, con todo mi dolor e incertidumbre adentro. De modo que no era una bruja malvada asociada con extraterrestres que cagaban en los techos y degollaban animales. No había secta china ni complot en mi contra: eran, como siempre, los jodidos gringos.

—Esos libros que hay en la mesa de noche —se ha subido en la barda y con las manos, en forma de visera sobre los ojos, observa el playón— ¿de verdad los lees?

—Claro que los leo —las venas del cuello se le hinchan—. ¿Qué otra cosa quieres que haga?

Entré y fui directamente al baño. Me arrodillé ante el inodoro y vomité mis entrañas, mi psiquis, mis amores perdidos. *¿Qué otra cosa quieres que haga?* Era la pieza que faltaba, la que hacía funcionar el resto del mecanismo. Vamos tan de prisa en nuestra cápsula, tan absortos, que casi nunca escuchamos. Y cuando creemos hacerlo es sólo el eco de nuestra propia voz. ¿Quién si no la burlona liebre se dedicó por horas a minar su autoestima? *La chica Cosmo tiene cerebro de flan. ¿No conoces a Nick Cave?* Y una colección de injurias disfrazadas de humor y camaradería. Resultado: la chica Cosmo mudó de piel y se convirtió en la chica Liebre, más que eso, se convirtió en la chica Mutante. Quería satisfacerme y daba tumbos conmigo. Mi intención era rebajarla, sentirme superior; es lo que se espera haga un roquero de barrio con su chica Cosmo. Pero no había tal chica Cosmo, Maya podía pensar y sentir vergüenza. Y reaccionó, se deshizo de las revistas y leyó en una semana más libros de los que yo leería en toda mi vida. Me dejó atrás, en el reino de la ignorancia donde mis burlas no tenían sentido. Mete sus brazos por debajo de mis axilas y me levanta. En la sala hay un soldado, entre los dos me llevan a la ambulancia. Un médico me examina y habla con Maya, luego sube una enfermera y me inyecta un calmante.

Comimos, por primera vez en mucho tiempo, como una pareja normal. Me contó que había dos niños graves por efectos del gas y la radiación. Sus palabras encajaban una en otra con admirable exactitud. Su discurso aludía a mentes asesinas, ingenuidad y ambiciones. Los pensamientos fluían desde su mente en espiral. Era conmovedor verla comer aquellas raíces mientras citaba a filósofos contemporáneos. Y eso no era todo, la taquillera mágica quería escribir: *Una delgada línea separa poema y relato, instinto y método, evidencia y cer-*

teza. A la vista del público el trapecista corre más riesgos que el payaso... Mastiqué en silencio, sintiendo el amargo sabor de la envidia. Ya no era una mujer; era un monstruo inmune a mis esmirriadas canciones. En adelante estar con ella iba a exigir, aparte de un buen empleo, el *Pequeño Larousse Ilustrado* (si no encontraba el grande).

15

Mis cuatro odios favoritos eran en estricto orden: Prof. García, poemas de Benedetti, sopa de cereal y música andina. De haber sido un asesino en serie mi prontuario de víctimas lo encabezarían Neruda y Benedetti y luego Inti Illimani, etc., etc. *El trapecista corre más riesgos que el payaso.* Razones: si el hombre del trapecio no comete errores recibe aplausos, si cae habrá pánico pero nadie desconocerá el valor y la sangre fría que requiere su oficio. Un payaso que no funciona recibe escupitajos y si le va bien hay risas (y uno que otro escupitajo). Salvo el desquiciado Bart Simpson, nadie admira a un payaso. La mayor afrenta que tengo en la memoria se titula *Farewell y los sollozos* y Prof. García era el nombre de la bestia que lo había metido allí. Recordaba el ominoso libro de pasta roja, el número de la página y las manchas de sudor y saliva que fueron quedando tarde tras tarde. Y mi pobre mente resistiéndose y la bestia alzando su voz en la ardiente aula. La ejecución ocurrió un viernes al mediodía: solté cada palabra del grasiento poema ante toda la escuela y recibí los chiflidos y escupitajos de rigor. Al llegar a casa le pedí a mi padre dinero para hacerme una lobotomía o cualquier cosa que me sacara esa mierda de la cabeza. Prof. García quizá no lo sabe pero si tuve alguna oportunidad de ser alguien, él la truncó. El trapecista tiene un oficio, el payaso un destino: estar en la cuerda floja. A los 16 caí de la azotea del colegio, estuve varias horas en coma y cuando desperté mis primeras palabras fueron dos melosas líneas del odiado poema.

En los circos pobres a menudo el trapecista y el payaso son la misma persona. Lo que podría derivar en algo sublime resulta triste: el doble trabajo no es producto del genio sino de la precariedad. El público, también pobre, entiende que el precio de la entrada equivale a la calidad del espéctaculo. Ni el más tonto esperaría algo admirable, se entra a consolar las penas viendo las de otro. No hay risas sino burlas y una cerrada carga de escupitajos. Le daba vueltas y vueltas a la frase de Maya, la red de significados se extendía y la mosca estaba por caer. *Nada que se mueva es inocente.* Le debía una canción al señor Lee.

Maya es blanda, suave y peluda. A veces creo que no tiene huesos. Si tuviera cuatro patas y la piel blanca la llamaría Platero y seríamos Platero y yo. Si ella fuera un asno habría mejores opciones para nosotros: que se sepa los asnos no le rinden culto a Deleuze, todavía. Lo prudente sería dejarla, su presencia bloquea mis canciones. *Un párrafo de Kundera supera todo lo hecho por The Doors, incluyendo los poemas de Morrison.* Kilos de cereal y arrogancia viajan con ella y también, por desgracia, amor y ganas de tirar. Era perfecta y la arruiné, debí callarme a tiempo. El monstruo se tiende en la cama, puede leer, escuchar jazz progresivo y limarse las uñas mientras le hago el amor. Y mientras se lo hago practica posiciones zen para que la sangre irrigue mejor su cerebro y las ideas no se aplasten unas a otras.

16

Durante varios días el sector se convirtió en un hervidero de gente. Toda Ciudad Inmóvil quería observar el hueco en el playón, los de GAEC (Guerra a Extraterrestres Cagones) seguían acusando a los hombrecillos verdes. Uno del GAEC era quien había intrigado a mi hermana en contra de Berna. Los del PC (Partido Comunista ¿o Cagón?) hicieron pancartas contra el imperialismo yanqui. En el periódico local publicaron un poema de Maya y su fotografía. Nuevas caras revolotearon por el apartamento, ella lucía radiante y Berna prometió reunir dinero para editar su primer libro. Lentamente me convertí en su sombra, en *el tipo con la guitarra negra que sigue a Maya*. Las noches volvieron a ser sofocantes y el agujero en su vientre fue clausurado por pliegues de piel rosada y dura. Conseguí empleo en un almacén de aparejos de pesca. Trataba de sentirme a gusto pero a ratos volvían ciertos recuerdos y con ellos la inquietud. Berna y Maya aparecían en mis pesadillas como personajes siniestros, los límites de su amistad estaban fuera de mi órbita. ¿Y el calvo de la playa? Por donde metía la nariz encontraba cabos sueltos y Berna no perdía ocasión de atizar mis dudas con frases ambiguas en un lenguaje que sólo ellos entendían. Dragones de feria navegaban mis insomnios mientras ella roncaba bajito a mi lado. Era irritante, después de una jornada de trabajo, tener que soportar a los pedantes críticos de poesía reunidos en torno a Maya. Esa noche estaba orinando cuando uno de los críticos empujó la puerta y se plantó ante el espejo del botiquín a sacarse espinillas.

—¿Eres músico? —preguntó aquel cara de espárrago mirando la picha.

—Estibador —dije volviéndome hacia él para que las últimas gotas lo pringaran—. ¿Y tú?

Se hizo a un lado.

—No lo entenderías —dijo.

En la sala encontré a Maya con otro par de espárragos. Me senté junto a ella y la abracé, los espárragos me observaron como si fuera un intruso.

—¿Eres músico? —preguntó un espárrago.

—No —dije—. Vendo artículos de pesca.

—Es músico —dijo Maya.

Iba a replicar, a darles una breve charla sobre arpones y cordeles. En ese momento regresó el tercer espárrago del baño. Tenía la cara roja de tanto darse uña. Le dejé mi lugar y me refugié en el cuarto con la luz apagada. Una hora después entró Maya y me pegué a su espalda. En el almacén había leído una revista sobre delfines: estas maravillas del mar eran mamíferos como nosotros y tan veloces que podían enfrentar a un tiburón, tenían una graciosa forma de reír y la dignidad de suicidarse cuando por vejez o enfermedad no podían seguir a la manada. Su inteligencia nos rebasa a tal grado que tienen un lenguaje con más palabras que el nuestro y, por fortuna, sin críticos.

¿Gringos o marcianos? La discusión entre GAEC y PC iba viento en popa. Un par de camiones cargados de arena habían tapado el hueco y nadie daba cuenta de los tanques que contenían el material radiactivo. La furgoneta militar encargada de llevarlos a un lugar seguro tampoco aparecía. GAEC quería enjuiciar a los marcianos y PC a los gringos, ninguno se acordó de vigilar los tanques. Maya estaba furiosa y Berna le pedía olvidar la política y concentrarse en sus poemas. Uno de los niños infectados con el gas murió. Berna había dejado el templo y ahora portaba a Cristo las 24 horas en una pequeña radio de transistores. Apenas ponía un pie en nuestra calle nos invadía la frenética voz del pastor. Cristo era el dueño del dial y mis oídos zumbaban, incluso en el almacén me parecía escuchar aquella perorata apocalíptica. No volví a frecuentar las nocturnas playas de hombres rotos; trataba de apagar mis ansias y coger la guitarra. El corazón me picaba, tenía microbios allí.

Acomodar cajas, barrer un poco, pulir aquí y coger esto y lo otro, etc. Una vez, cada tres días, alguien te grita cuán lento y torpe eres, es normal, parte de la paga. El trabajo es simple, un poco humillante y agotador, es lo que hacen millones de hombres en este mundo para que otros se rasquen el trasero. Es lo que hacen millones de hombres para conservar a sus mujeres y alimentar a sus hijos. El desgaste físico aleja los fantasmas y el asco; te sientes útil y apropiado cuando le demuestras al jefe que, siendo más pequeño, puedes con cajas más pesadas. En el descanso tenía la guitarra y por las noches gastaba mis restos entre sus piernas. Su amor intermitente era mi premio y quizá, algún día, la taquillera mágica metería las uñas en mi pecho para sacar los microbios.

17

Una mañana de domingo apareció borracho. Maya estaba en el supermercado. Empezó a darme casquillo; decía que Maya era una bruja loca y en cualquier momento iba a cortarme el cuello. Le pedí que se fuera, no quería que Maya lo viera así. Se tumbó en el sofá. Estaba sucio de vómito y con la camisa rota en el cuello. Tenía rasguños en la cara y el cuello. Se quitó la camisa y los zapatos.

—Cántame algo.

—¿Por qué la odias? —lo sujeté por los hombros—. ¿Qué te hizo?

—¿No sabes quién es? —se echó a reír, un pedazo de moco con sangre resbaló y se le pegó al labio. Se lo quitó con el dorso de la mano—. Es hija de un demente.

—Te llamaré un taxi.

—El viejo se chifló de tanto leer.

Lo solté. Cruzó los brazos detrás del cuello y me apartó con el pie, lo sostuvo sobre mi vientre y lo fue bajando. Saqué el cuerpo y su pie cayó en el sofá.

—¿Cómo sabes tanto de ella?

—Cántame *Trampled under foot*.

Fui por la guitarra. Él siguió echado mirándome de forma cínica. Me pregunté dónde habría dejado la radio. El corazón empezaba a rascarme.

—Una canción a cambio de una vieja historia, ¿qué dices?

Se lo piensa y ríe y hay más moco y sangre.

—Una vieja historia es demasiado —se queda serio, muy serio y luego ríe—. Tendría que ser una canción vibrante...

Maya entra y mira la escena, deja caer las bolsas en el piso y corre al sofá. Lo abraza, sollozan. Él la besa y le acaricia el cabello.

—Maya...

—Ve afuera, por favor.

—¿Qué?

—Por favor —dice.

Aprieto los dientes y salgo. Me siento en la barda. Berna está gritando, sus palabras me atraviesan. Camino hasta el parque, me recuesto en el tronco y veo a mis vecinos tomando el sol, los desnudos árboles, los cadáveres de insectos sobre la hierba y yo entre ellos, uno más. Arriba está el vacío con manchas como tatuajes descoloridos. Cierro los ojos.

No sé cuánto tiempo estuve recostado allí viendo desfilar, cuadro a cuadro, mi propia vida y construyendo en paralelo imágenes de Maya: Maya que baila sobre la barra de un bar, que grita en medio de una balacera, que huye con el vestido manchado de sangre... Su perfume se filtra entre las imágenes pero mantengo los ojos cerrados. Puedo sentir cómo se forma una lágrima y baja por su cara y se precipita al vacío y se deshace contra mi frente. Abro los ojos, enfrente están sus piernas. Ella se sienta en el tronco. No decimos una palabra. El mediodía ilumina hasta el último resquicio y calienta el hogar de las hormigas.

18

El silencio se extendió por semanas. Los libros desaparecieron de la mesa de noche y ningún crítico volvió a visitarnos. Mi trabajo terminaba al final de la tarde, justo cuando el suyo empezaba. Me quedaba puliendo mis canciones hasta su regreso y en la medianoche nuestros cuerpos se buscaban en una sintonía de caricias lentas y besos hondos como pozos en el cielo. En el desayuno nos encontrábamos. Sé mucho de ella: café amargo, pan tostado, huevos fritos con la yema dura y jugo de zanahoria. Sabe mucho de mí: leche tibia, tajadas de plátano, pan árabe y huevos hervidos. Nos conocemos a fondo: las crueldades que nos hacen reír, las tonterías que nos cabrean, el estilo de jean que mejor nos va. Deportes, política, historietas, capitales de Asia, actor, cantante, signo zodiacal... La información podría llenar varias páginas en formato word 6.0, arial 12, espacio sencillo. En los autobuses, las fiestas de navidad y oficinas públicas siempre hay gente diciendo que conoce bien a otra gente. Y no se engañan, técnicamente no. La convivencia nos lleva a reconocer gestos, hábitos, amores y odios. Un hijo puede hablar varios minutos sobre su madre y viceversa. Las suegras no necesitan esforzarse para enumerar los defectos de sus nueras. Las esposas pueden quejarse horas de sus maridos. Los maridos se desgañitan describiendo las hazañas de Ronaldo, Zidane y compañía. Y los meses pasan, el polvo se pega a las ventanas que limpiamos dos veces al mes, las bombas destrozan edificios y trenes alrededor del mundo, Nike saca una nueva línea de calzado. Y limpio la ventana y el polvo se ríe de mí y Nike también ríe. Y me doy cuenta que nunca tendré dinero suficiente para ese par de tenis, nunca sabré quién es mi hermana y menos aún Maya, F y tantos otros que consideré íntimos. Y no lo sabré porque *ese* conocer y *esa* intimidad no cambian el hecho que somos extraños: extraños que se conocen mucho, cierto, pero extraños al fin y al cabo.

Sería estupendo saber quién es mi padre. Lo recuerdo con gripa, recostado en el sofá frente a la tele. Se pajeaba viendo comerciales, me producía ternura verlo escurrir el bulto cuando alguien bajaba a medianoche. Mi madre y mi hermana fingían no saber. Les asustaba ese mamífero solitario esquilando alguna sensación de su cuerpo vencido. Y mi madre a quien no he visto en años, esa bella y gélida mujer cuya foto guardo en la billetera. ¿Qué puedo decir de ella? Vive en México y le manda postales a mi hermana en su cumpleaños. Tengo muchos recuerdos, buenos y malos, de mi infancia y adolescencia. Nada especial, sólo vida que se afloja y huye y deja cosas tiradas por ahí.

Berna está muerto, lo encontraron tirado en la playa bajo el sol. Parecía un pez; un pez moreno con los ojos resecos y disparos en la pierna y la ingle. No hubo sorpresa ni gritos, ambos sabíamos que iba a pasar. Maya se encerró en el baño y yo traté de consolar a Darío. La policía vino, hizo preguntas y se largó. Avisé al cinema. Darío se fue a la morgue. Acompañé a Maya en todas las diligencias. Alrededor de la tumba había una veintena de personas, algunas caras me eran familiares. El calvo, como supuse, estaba allí. Ningún pariente de Berna se dejó ver y Maya se hizo cargo de las condolencias. Esa noche no hicimos el amor y noté algo nuevo en sus ojos; una serena tristeza que nos separaba kilómetros en la angosta cama. Desde la sala llega bajita la música de Satie que de algún modo me regresa al cementerio, justo frente a la lápida de Berna. Allí está escrito que lo asesinaron un día antes de cumplir 26 años. Apagué la luz y lloré en silencio.

19

Mi deseo sin respuesta es la única cosa que raya la oscuridad. Las palabras han vuelto y son peores que el silencio. Son sólo forma y adentro hay humo. Ella escribe cada noche en una libreta y me habla de viajes imposibles y de lo bueno que sería empezar otra vez de cero. Sus objetos más valiosos han ido desapareciendo y la tensión entre ambos ha decaído. Desde que renunció al cinema se pasa el día haciendo quehaceres y en las tardes me espera a la salida del almacén y vamos a un restaurante chino. Y conversamos y me engaña y acepto sus engaños. ¿Quién es Maya? Lo ignoro. Soy adicto a su cuerpo y ella alérgica a mi mente. Su mente quiere alejarla de mí como el pájaro de una piedra que se hunde. Maya es un pájaro y yo una piedra; una pensativa, sin aristas, hecha de mugre y renuncia. Una piedra que perdió el ritmo y se hunde más rápido. Nuestro amor también ha decaído, se ha vuelto flojo, diario, incapaz.

Una tarde, en que Maya no vino a buscarme, coincidí con F en el restaurante. Estaba con uno de sus hijos. No podía creer lo flaca y bonita que se veía. Su hijo fue al baño y aproveché para preguntarle por Love. Me dijo que estaba por llegar, se habían citado allí para celebrar dos meses de estar viviendo juntas.

—Mis hijos la adoran —dijo F.

El hijo regresó y me senté con ellos mientras llegaba Love. Intercambiamos frases vacías, miradas vacías, pensamientos vacíos. De repente F me preguntó si Maya había viajado a París.

—No que yo sepa —dije tratando de aparentar indiferencia—. ¿Te dijo cuándo se iría?

—Sí, pero lo olvidé. ¿Viajas con ella?

—Lo estoy pensando.

Y me empieza a doler el estómago mientras hablamos de la luna llena, de lo mal que huele Ciudad Inmóvil. Y del insoportable clima y bla, bla, bla. Love llegó a salvarme. Me pasé a otra mesa y empezaron a reír. Las miré con envidia. Así que París. Huumm... No estaba mal de sueños aquella ex taquillera. El hijo de F devora su arroz. F y Love ríen y devoran lo suyo. Cuando terminan vienen a despedirse. Mi plato está intacto.

—Un pajarito come más que tú —dice F.

Love y el hijo de F se abrazan, están hablando sobre sus clases de cine. El mesero me avisa con un grito que está listo el pedido. Ellos salen a buscar un taxi, F y Love van cogidas de la mano. Pago la cuenta, voy al paradero y subo al autobús. Desde la ventanilla, con la comida de Maya aún caliente pegada al pecho, miro la ciudad de piedra sobre la que cada día y cada hora cagan los pájaros. Me sentí lejano como una borrosa fotografía en el álbum de recuerdos de Dios. Pensé en Berna, en Cristo, pensé en Maya... y quise llegar pronto.

...Pero las piedras jamás llegan pronto, al menos no lo suficiente para alcanzar un pájaro. El apartamento estaba a oscuras. Enciendo las luces. Era un lugar limpio y bien iluminado... y sin rastros de Maya. Caí en cuenta de que era un hombre flaco, con más de 30 años, algo de panza, mal humor y nada entre manos. Otra vez tuve dificultades para recordar mi nombre. Me senté en el piso para que todo empezara a girar. Estoy en el piso, tengo treinta y dos años, más que algo de panza, furia, melancolía y absolutamente nada entre manos. Sigo en el piso pensando en mi próximo movimiento, algo que a una piedra puede tomarle siglos. Enfrente está la libreta de Maya...

...Me canso de ser piedra y voy al cuarto, su olor sigue allí, su olor me entra por los poros y enfría la sangre. La guitarra me hace guiños desde el rincón. Miro la cama, su lado de la cama: el hondo, cavado por su peso en el colchón, aún está tibio y los pliegues de la sábana dibujan su cuerpo. Recorrí con el dedo aquellos pliegues hasta aprender la minuciosa forma del vacío.

Giacomo Tomasini e Francesca Campagnolo

ВСТАВАЙ.

MIO MARITOPIACCIO
ANCHECON ICUSCINETTI!

FRIDAY 19 · h.21:00

Fracaso Ltda Records . 7 Torpes Band
CLASSIC WOMAN
track 6 Las Chicas de Fantomas

(*LAS CHICAS DE FANTOMAS*)

Piscis

Su boca es fría mientras la lame, la chupa y escupe dentro como si su vagina fuera el recipiente de un dentista. Su boca es mecánica, carece de matices, ignora que cada pliegue abajo tiene una razón de ser, que hay labios menores y mayores, que su clítoris está más a la derecha. Como está seca quiere untarle vaselina; es ancho de hombros y huele a colonia barata. Sus zapatos en el rincón brillan, los pule él mismo y si les cae una pizca de polvo entra en crisis. El hombre chupa y chupa sin atinar, ella reacciona, quiere acabar pronto, lo jala, mete su sexo en el suyo y acelera. Él introduce un dedo y lo restriega, pretende una caricia que ayude a excitarla y lo que consigue es una intolerable fricción. Al verla inmóvil se cabrea y restriega más fuerte.

—No sigas, por favor.

—¿Qué mierda dices?

Su gesto la intimida, el dedo empieza a herirle la piel...

—Me estás lastimando —él trata de meter los otros dedos y ella retrocede para liberarse, entonces aprieta y jala un puñado de carne y pelos hasta hacerla gritar—. ¡Suéltame, hijueputa!

La suelta y al tiempo le pega en la cara con el revés de la mano, la piedra de su anillo le abre una herida en la barbilla.

Nueve meses después nació mi sobrina.

Sagitario

El amor existe para hacernos débiles y dependientes, sin amor una raza de guerreros solitarios recorrería el universo. Ejércitos unidimensionales sin más ambición que vagar en las hondonadas sin nombre. El amor que nos inoculan desde el primer suspiro es un antídoto a nuestras ansias de no ser, no saber, no deber. Me llamo Lira como la moneda italiana pero no tengo precio. Me llamo Lira como el instrumento de los ángeles pero vivo en el infierno. Tengo un Volkswagen del 56, 20 años, me acuesto con dos hombres; el que amo ama a otra mujer. Me encanta cuando Kenneth Branagh recita en *Hamlet* aquello de: *Dame un hombre que no sea esclavo de sus pasiones y yo lo pondré en el centro de mi corazón.* Fui ese *hombre*; una parte de mí se resiste y la otra espera su llamada hasta que es muy tarde. El psicólogo dice que son problemas afectivos, que mis padres no supieron expresarme afecto (o no lo tuvieron). Nadie me enseñó a querer y por eso busco un amo. Soy ruin, miserable, perversa; no acepto mi albedrío, me opongo a mi propia libertad. Como una furcia añoro un hombre para amargar sus partidos de fútbol y un hijo para reprocharle hasta la muerte su falta de amor. Nuestro pecado es no aceptar que somos solos e impenetrables. Renuncio por migajas a ser la reina de la selva, soy el estúpido jabalí que sueña convertirse en jamón.

Cáncer

Nací un 14 de julio y me bautizaron Lena Margot. Soy la tercera de ocho hermanos. Siendo todavía una niña asesinaron a mi padre. Huí con mi madre y hermanos dejando atrás, sin enterrar, el cadáver de mi padre y lo poco que teníamos. Durante tres años vivimos en improvisados campamentos. Un amanecer llegaron a nuestro cambuche cuatro hombres armados y me sacaron por la fuerza. Fui conducida en un jeep lejos de mi familia y encerrada como si fuera un criminal en una celda oscura. Había más celdas y niñas, nunca las ví pero escuchaba sus gritos. Ni siquiera a Maya le he contado mi secuestro; exhibir la desgracia se me antoja una ausencia imperdonable de pudor. Quienes han sufrido el encierro saben de lo que hablo, saben que comparado con éste la muerte es dulce. Pude escapar de allí y burlar mi destino: el plan de aquellas bestias era ofrecerme como carne al mejor postor. Gracias a las moscas estoy aquí y no en un prostíbulo de Oriente. Las cosas terribles que nos pasan deben tener un sentido y si no lo tienen, es nuestra obligación dárselo. Como Maya creo que las palabras son nuestro único consuelo ante el absurdo cotidiano, como ella temo al amor de los hombres y busco la salvación en los libros. Desde que el mundo es mundo el hombre ha sido lobo para el hombre. Son fuertes y egoístas, de esa combinación fatal se desprende el terror, la incertidumbre y los juegos de video. Nosotras tenemos más resistencia al dolor, nuestros deseos han mutado y en el futuro no seremos presa fácil. Si el hombre no aprende a moverse en el elemento profundo estará en serios aprietos. Dentro de poco su órgano sexual será una pieza para museos de la prehistoria; la reproducción se hará en cabinas individuales sólo para mujeres.

Tauro

Está llena hasta el tope de sí misma como un caballo de carreras y al igual que el caballo no tiene conciencia de su altanería. Su belleza no tiene deudas con laboratorios; Max Factor no frecuenta estos vecindarios. Ella es producto de la suerte o la fortuna, algún dios vagabundo se detuvo un instante allí. Los antecedentes no la ayudan: su madre es fea, su padre árido y su hermana no necesitaría máscara en Halloween. Recorro sus piernas con mis ásperas manos de operario, aplasto su boca pero no cede; es ancha, en forma de corazón y sus labios amortiguan los míos. No le falta un diente, no tiene irritaciones, su pelo brilla, su trasero me eriza. El uniforme no consigue restarle glamour y al desnudarla me avergüenzo de mi cuerpo junto al suyo. Me habla al oído, sus palabras no tienen reverso, su mente no aprendió cálculo diferencial ni segundas intenciones. El amor no necesita trampas, le basta con ser amor. Su necesidad de mí es conmovedora; lo que en verdad necesita es un agente, alguien que le abra las puertas del éxito y no de los cutres moteles de Ciudad Inmóvil. Quisiera revelarle su potencial secreto, pero temo perderla. Hay 20 años de diferencia entre los dos, mi única alternativa es preñarla. Si tenemos dos hijos y una casa en las afueras nunca podrá dejarme.

Libra

Las putas prefieren el vino porque aumenta la comisión. Con ellas no hay lugar a engaños, son cajas registradoras vestidas de colores chillones y maquilladas con saña. Por caliente que esté su entrepierna su alma permanece fría como la nariz de un perro esquimal. Lo importante es que son carne y se comen; el buen pelotero sabe que tras un *fly* puede llegar el *home run*. Los riesgos de este oficio se exageran, quien trabaja en un andamio corre más peligro. En cualquier caso la primera causa de muerte en el mundo son los accidentes caseros. Mueren más hombres resbalando en la ducha que atacando o defendiendo a Arafat. Las categorías de putas son abrumadoras: una chica que muestra el trasero en la tele para vender jabones merece el título tanto como una vieja cabaretera o una africana que recorre las estaciones del metro en París. El negocio es claro: si pagas te dejo usar mi cuerpo. La moral es un defecto que los años corrigen. Sara dice al respecto: *He trabajado en esto desde que nació mi hijo; lo crié y he tenido tiempo de llevarlo a cine. La leyenda de que debemos vérnosla con tipos malos y feos me hace reír. Los hombres que atestan los burdeles de este mundo son los mismos que di-*

rigen países, van a la iglesia los domingos, juegan en los par-
ques con sus hijos y besan a sus mujeres antes de dormir.

Escorpión

Al director del colegio lo apodan Fantomas; se enoja porque soy la única profesora que rechaza sus flores, según él me gustan y me hago la elusiva para atraerlo. ¿Quién rayos inventó la historia de las flores y los otros códigos mediante los cuales, hombretones como Fantomas, pretenden abrirnos las piernas? Si a un tipo le fascina lo que hace Zidane no significa que quiera acostarse con él; a las mujeres nos sucede lo mismo. Admirar una habilidad no entraña deseo sexual. Las madres enseñan a sus hijos que ellas son vírgenes y el resto somos una partida de zorras. Los fracasos sentimentales ocurren porque los hombres quieren ir a la cama con la zorra y despertarse con la virgen. Fantomas no me mueve la aguja, el sentirlo detrás mío como un zombie sólo empeora las cosas. Mi propuesta de amistad lo ofende: *No quiero ver cómo otros te agarran el trasero.* No, él quiere su tajada del pastel. Me cansa estar en guardia, he tenido sexo con hombres en el pasado sólo para quitarles la idea. Carmen, que tiene mucha experiencia, dice lo mismo: *Si quieres matar una mosca déjala posar en el terrón de azúcar.*

Es la noche de San Valentín, las florerías llevan horas trabajando sin parar. Millones de ramos se han despachado de un lado a otro del planeta. Los restaurantes y moteles no dan abasto; las chicas abren las piernas y los chicos empujan fuerte. Al amanecer, mientras el autobús sube la colina que lleva al colegio, asoman de los tinacos las astromelias, orquídeas y azucenas marchitas.

Géminis

Es pequeño y fatuo. Escribe canciones en un inglés torpe y rebuscado porque desconfía de su propia lengua: *El inglés es más profundo y directo, fuera de él no existe el rock*. Escucharlo hablar sobre lo que desprecia es todavía más conmovedor: *Hay que tener un alma muy barata para pensar 24 horas en sexo*. Y como le tengo cariño lo dejo creer que me engaña. Su condición de glande-pensante es de dominio público, pero jamás aceptará que él, precisamente él, tiene el alma más barata de Ciudad Inmóvil. *El Rey de los defectos* podría titularse su biografía y en ella las canciones, y su presunto desafío al Imperio (*Santana lo hizo, puedo ir más allá*), ocuparían unas pocas líneas; el resto de páginas estarían dedicadas a sus innegables dotes de macho cabrío. *La intimidad del sexo es un peldaño más del diálogo*. ¿Diálogo? ¡Qué ingenuidad! Un glande-pensante va detrás del culo que pasa porque es el único paliativo del ansia que lo consume. La incapacidad de comunicarse, de aceptar la mente femenina, la esconde con rústicos polvos de motel que imagina magníficos. Y cuando no consigue el añorado polvo, delira. Sus pesadillas sobre mujeres que, convertidas en brujas ninfómanas, lo acosan apenas ocultan la frustración de un polvo negado. *Las mujeres son perversas cuando no te desean* repite rasgando la guitarra. La canción de Morrison (símbolo y rey de los glandes-pensantes) no podría ser más reveladora. He pensado hablarle recio, decirle lo flojo que es como amante y lo mal que pronuncia el inglés. ¿Resistiría mi franqueza cruel? Lo dudo, la naturaleza de un glande-pensante es frágil. Si lo desarmo huirá de mí y le tengo cariño. No es malo, es sólo un tipo asustado, como casi todos.

Cuarta Parte

LA ARCHIENEMIGA DE FOUCAULT

1

El dueño del almacén me estrechó la mano y prometió que
en cuanto mejoraran las cosas volvería a engancharme pero
hasta los ratones, ocultos tras la mercancía, sabían que las
cosas se estaban yendo a la mierda. Cogí un taxi hasta el Centro y me detuve frente a la biblioteca pública. Busqué a Fran-
cia en el atlas. Sabía poco de aquel lugar y ya lo odiaba. Antes,
mucho antes que Maya se fuera a París, los franchutes habían ingresado en mi lista negra. Un francés me había roto
la nariz en la escuela y otro me había quitado una chica en la
playa. No soportaba su música, su cine, sus perfumes (el
Chanel No. 5 huele a podrido). Recuerdo que Alice, una amiga
de F, solía decir que todo el resto de Europa detestaba a los
franceses por falsos, tacaños y pretenciosos (Alice vivió cinco años en Nantes). Pienso que odiarlos debería ser de uso
obligatorio en todo el mundo. ¿O no es odioso alguien que
para hablar escupe a diestra y siniestra porque encrespa la
boca como un pato y que, en su rimbombante idioma, llama
omelette a un par de estúpidos huevos revueltos y *fondue* a
cualquier plasta de harina con queso? En Ciudad Inmóvil
a menudo se les usaba como referente: *Más aburrido que un
francés. Más hediondo que un francés. La tiene más pequeña y
flácida que un francés.* Y en cuanto a la nariz: *La tiene más
larga y torcida que un francés.* O en discusiones teológicas:
más puta que monja francesa. Sólo los franchutes pueden

considerar a una pareja que discute tres horas en la cama sobre los derechos del pedo violeta una gran película. Sólo en la mente de ellos cabe que Sartre es un filósofo y Aznavour un cantante. Me cansé de imaginar cómo caían puntitos negros y explotaban en aquel mapa. El poeta no se había asomado. Dejé el atlas sobre un carrito y le pregunté a una de las pistoleras por el poeta.

—El director le prohibió la entrada —dijo ella.

—¿Es francés?

—No, es paisa.

—Dos veces francés —dije.

Ella no pareció entender. Le di la espalda y caminé hasta el bar. Mientras bebía una cerveza eché una ojeada. Ningún cambio: el mismo calendario cigarrillos Pielroja varado en el 3 de junio de 1989, las mismas putas sacudiendo moscas, los mismos clientes, la sempiterna música y el anciano barman dormitando con los codos apoyados en la barra. Puse el diario de Maya sobre la mesa y lo observé: un cuaderno escolar de cien hojas cuadriculadas. La pasta, sobre la cual ella había escrito su nombre con marcador rojo, estaba arrugada y tenía manchas de grasa. Lo abrí, en la primera página había una fecha de ocho años atrás y una frase: *Soy la abeja reina y nadie lo sabe*. En los bordes de esa primera página Maya había pegado calcomanías de flores. Una puta vino y con un gesto preguntó si podía sentarse. No dije nada y ella lo tomó como un sí.

—Tengo una igual.

—¿Qué cosa?

—Tu libreta de cuentas —dice mirando el cuaderno—. Cada día pienso en pasarlas a una nueva y tirar la otra en la basura.

—¿Qué cuentas llevas?

—Las de los clientes. No todos pagan enseguida. También de un negocio que tengo de fantasía fina y brasilera.

Hay cosas tan buenas como las de oro, es difícil notar la diferencia. ¿Crees que esto es oro?

Se quita un anillo y me lo muestra. Bajo la luz roja del bar lanza tímidos destellos.

—No soy un experto.

—Nadie lo es —dice ella—. ¿Y éste?

Me muestra otro anillo.

—Son iguales —digo.

—No —dice—, el más delgado es de oro y el otro es pura fantasía.

—El oro es una fantasía.

—No para los bancos, cariño. ¿Y tú qué negocio tienes?

Trato de encontrar una respuesta. Pienso: *soy un músico y quiero llegar al número uno antes que sea tarde. Quiero encontrar a Maya antes que sea tarde.*

—Ninguno todavía —digo. Alzo la botella, sólo queda espuma—. Tráeme otra y una para ti, si quieres.

Va hacia la barra. La enorme y abultada espalda termina en un invisible trasero que descansa sobre sus patas cortas y flacas como las de un catre. Sin embargo, bajo el reseco caparazón, la tortuga aún respira y tiene sueños. La tortuga canturrea al oído del barman y éste le sonríe. Miré la segunda página del diario. Hay un título en rojo *20 caramelos por hora* y luego sigue el texto en negro.

20 CARAMELOS POR HORA

B solía decir que todas las mujeres hacen lo mismo, no importa la manera; la diferencia no existe. Ninguna mujer es tan joven como debería y luego es poco tiempo hasta la muerte. De niño odiaba jugar con otros niños, se encerraba en nuestro cuarto a probarse mis vestidos. A veces, en la oscuridad, me despertaba y lo sentía chupar lentamente un caramelo tras otro. Cuando se destapa un caramelo en el silencio de la noche el sonido que hace el papel le parece a quien lo destapa un estallido. Por eso el corazón de B latía de aquella forma. No le importaba despertarme a mí pero sí a los otros. Dormíamos con la ventana abierta y si había luna podía verlo acariciarse sin dejar de chupar.

De los otros, uno baila y el otro lee todo el tiempo. B odia los libros. Uno lee, otro baila y B tararea canciones y dice que será famoso. Quien lee no se mueve, quien baila ríe, hace gestos, se enoja. Quien lee jamás ríe. B flota entre quien lee y quien baila. Quien lee es bueno conmigo y por eso trato de leer pero leer no es fácil así que finjo leer. Fingir es el mejor truco contra lo difícil, el mejor truco para que otros te quieran. Cuando le hablo a quien baila B dice que estoy loca. Según B quien baila no puede entenderme.

Vivíamos en una casa amplia, entre la habitación principal y la nuestra estaba un baño y el cuarto de quien baila. Quien baila nunca aprendió a hablar ni fue a la escuela. B tenía dos años más que yo y quien baila tres años más que B. Una semana después que vine al mundo mamá murió y por eso B me considera una asesina. Había otro baño, la cocina, un pequeño huerto y luego el patio que parecía no tener fin. La sala era enorme con baldosas blancas y negras como un tablero de ajedrez. El comedor estaba regido por una mesa de roble que era el orgullo de quien lee. La mesa tenía doce sillas y cuando comíamos estábamos muy lejos. Quien lee no permitía que nos sentáramos juntos, nunca supe por qué. En el patio había un aljibe repleto de duendes y viejos árboles en cuyas copas las brujas se reunían a conspirar contra los niños del vecindario. Detrás de esos árboles, entre la hierba más alta, había una camioneta Ford destartalada.

Fingir no es tan sencillo como parece, fingir cansa y entonces trato de leer y leer cansa. Algunos libros tienen palabras tan raras y quisiera preguntarle a quien lee su significado. Como no soy capaz lo invento y me pierdo en un mundo donde el polvo no ensucia y los insectos no fastidian, donde la música sigue a quien baila y quien baila no tiene reglas. B agarra del brazo a quien baila y le ordena seguir el ritmo de la música. Quien baila no le hace caso y B se revuelca sobre la hierba. Quien baila ríe y B empieza a llorar.

Lo que me fastidia de leer es que cuando encuentro la palabra dulce no me llega su sabor a la boca y aunque repito mil veces la palabra invisible todos me siguen viendo. ¿Dónde está el poder de las palabras? Quien baila parece más libre que quien lee, más libre que B y que los gatos en el tejado. Quien lee tiene poder sobre quien baila y también sobre B y yo. Quien lee es el dueño de todo, nuestros pensamientos le pertenecen. B dice que quien baila no puede pensar. La expresión de quien lee es invariable, la de B un poco triste. Quien baila cambia de expresión muy rápido y no consigo adivinar qué siente. Observándolos me doy cuenta que la libertad tiene muchas formas y fingir no es una de ellas.

En los últimos días quien baila ha crecido mucho, mi cabeza ya no llega a sus hombros. Entre más crece más delgado se hace. Quien lee toma pastillas para conciliar el sueño. B no crece y ya estoy a punto de rebasarlo. Una noche quien baila grita y al día siguiente hay manchas de sangre en la cocina. Quien lee viene a la mesa con una herida en el cuello, quien baila sonríe... Escribo cosas que olvidaré, escribo cosas que ya he olvidado. Lo que intento decir huye antes que aparezcan las palabras con que pueda decirlo. Es como cuando algo bueno sucede y la mente se llena de eso y después, al buscarlo con palabras, no queda mucho. En cambio lo malo suele crecer en las palabras como espuma de cerveza. Escribo las respuestas que mis preguntas futuras necesitan ahora. Escribo porque un día mis palabras sólo tendrán espuma y quisiera encontrar aquí mi inocencia y la de ellos. Escribo sin ignorar que el espíritu de las cosas no se refleja en las palabras ni las almas se quedan a vivir en sus fotografías. Mi mente está aquí haciéndome compañía, tengo trece años y no sé a dónde ir. Mi mente se abrió en dos y quedé atrapada en el lado frío. Quisiera saltar al otro lado pero hay un abismo en medio y siento vértigo. Trato de recordar su cara, sus ojos devorando línea tras línea aquellos libros, el color de sus ojos y... sólo hay sombras. Ahora que conozco su significado, ciertas palabras tienen menos sentido. Ser bueno o malo no es importante, al final son caras de una misma moneda. Entender es lo que hace la diferencia y por eso nada es más exigente que entender. A todos nos enseñan a ser buenos y malos, nos indican los márgenes entre una y otra conducta, nos convencen que si elegimos el mal camino es nuestra culpa. Lo triste es que saber si algo es bueno o malo resulta imposible porque todo depende de las circunstancias. Saber hoy no sirve mañana, lo que hace falta es imaginar. Imaginar es más fuerte que saber, imaginando es como quizá llegaremos a entender lo que sabíamos. Un hombre fuerte, con el pelo blanco mal cortado, hundido en los libros. Un chico alto que baila porque no puede hablar. Un chico bajo que canta a cualquier hora y una niña que viaja toda la noche hacia ninguna parte. ¿Por qué viaja la niña? Si digo cualquier cosa van a creer en eso que digo y eso no es. B, cariño, donde quiera que estés, escúchame: no eres malo y si lo eres, ser malo no es tan malo como nos hicieron creer.

B solía decir que mis ojos eran iguales a los de mamá y que él sería famoso porque aprendió a cantar estando en su vientre. No puedo recordar haber estado dentro de ella y me cuesta imaginarlo, agazapado y dichoso, pegando la oreja del lado del corazón para escucharla. Las noches sin el sonido de tus caramelos asustan, el miedo entra por los pies y pienso en Dios aunque supongo que Él no piensa en mí. Decías que antes de morir mamá se fue poniendo pálida como cuando un vestido se ha lavado muchas veces. Una cosa adentro le estaba chupando el color y la alegría y esa cosa era yo. Trato de evitar las lágrimas porque traen mala suerte; lo hago por ella, porque si la pobre señora mala suerte se encuentra conmigo la va a pasar terrible.

Levanto la vista y encuentro los ojos de la tortuga. Bebo de mi cerveza y ella de la suya. Nos miramos y cada quien se pierde en el vacío ajeno.

—¿No cuadran, eh?

—Al contrario —digo—. Son perfectas.

—Entonces, ¿por qué esa cara?

¿Cómo explicarle a una tortuga que algo puede ser perfecto en el peor sentido? Repito en silencio la palabra esfúmate y la tortuga sigue allí, sus ojos redondos lagrimean. Sus labios están dibujados con lápiz negro y rellenos de un labial café. ¿Cómo explicarle a una tortuga la diferencia entre un diario y una libreta de cuentas?

—¿Cómo te llamas?

—Sara.

Sostengo la libreta ante sus ojos que se mueven en un líquido espeso.

—¿Sabes qué es?

—El diario de Maya.

Sus ojos giran y me doy cuenta que son rojos como los de una liebre. Y me doy cuenta que bajo aquel caparazón hay una mente rápida, acostumbrada a las noches sin luna. Estoy al tope de la lista: *Idiot number one*. Buen título para una canción sobre un tipo que no es capaz de distinguir entre una avispada liebre y una vieja tortuga. No obstante, superando mis propias expectativas, hago la pregunta estúpida jamás incluida en un álbum de grandes éxitos:

—¿Cómo lo sabes?

Sara estira los labios hasta alcanzar un fragmento de sonrisa. La piel de su cara retrocede y las puntas de sus orejas se abren paso entre una mata de pelo pintado de rosa con mechones rubios. Antes de hablar la liebre se chupa los dientes:

—Su nombre está allí —mientras habla desliza el dedo por la cubierta del cuaderno—. ¿Sabes qué es esto? Son manchas de labial y lágrimas, los puntos blancos son de saliva y esto es un pedazo de calcomanía *Amor es...* Tengo un montón en mi libreta de cuentas.

Y de repente el idiota dentro de mí comprende que no hay diferencia alguna entre una libreta de cuentas y un diario, entre una liebre y una tortuga, entre el oro y la fantasía. La diferencia entre un niño que asesina insectos y un hombre que devora niños no existe: la única diferencia en este mundo la hacen los banqueros. Sólo los banqueros son inmunes a la fantasía; sólo ellos tienen la capacidad de distinguir entre un diario y una libreta de cuentas. Mientras el resto de nosotros se entrampa con fantasías, los banqueros acumulan oro. Podría pensarse que la solución es buscar oro; el lío es que en nuestras manos el oro sigue siendo fantasía. Los banqueros tienen el secreto del valor real, en sus libretas no hay calcomanías ni lágrimas. Allí el oro es oro y no hay espacio para más. La liebre enciende un cigarrillo, sus ojos se han apagado. Acomoda el caparazón en el espaldar de la silla y suelta una bocanada de humo. Le pregunto si tiene una canción favorita y dice que no y luego que quizá *Heaven must have sent you* de Bonnie Pointer o *Play that funky music* de Wild Cherry hayan significado algo en su vida. Me entera sin aspavientos que tiene 37 años, vivió en New York a mediados de los ochenta y fue amante de uno de los porteros de Studio 54. Imagino a la tortuga en un convertible rojo atravesando la Gran Manzana, al volante va un negro de tres metros y largas patillas.

—Tengo muchas fotos —dice mientras hace perfectos círculos de humo—. Y todavía conservo mi acento de Harlem.

2
LA GUITARRA NEGRA DE B

Una tarde apareció B; traía un amigo y aquella guitarra. Quien baila empezó a reír, quien lee levantó la vista, la detuvo un instante en la guitarra y volvió al libro. B y su amigo atravesaron la sala rumbo al patio y luego se metieron en la camioneta a practicar acordes. Fui tras ellos y los escuché, después volví a la sala y me senté frente a quien lee. La sala era grande para dos, para tres, incluso para ocho habría sido grande. Allí no llegaban los acordes; ninguna música, ningún sonido más que el de los libros. Es absurdo que los libros no tengan sonido o que lo tengan y no sea posible compartirlo. Todas las tardes que pasaron en ausencia de B solía coger un libro y sentada en el aljibe, rodeada de duendes, escuchaba su alboroto. Ahora están B y su amigo que casi no salen de la camioneta y si quiero sonido voy al patio y si quiero silencio me quedo en la sala. No me molesta compartir mi silencio con quien lee; nuestro silencio es cortico y redondo, incapaz de hacer daño. En cambio el silencio entre quien lee y B es largo y afilado. Por eso evitan, en lo posible, estar cerca. El lío es que cuando dos se mueven al tiempo el espacio se reduce. He visto venir los dos silencios desde puntos equidistantes, he tratado de saber cuál es más fuerte antes que choquen. Y luego, después del choque, he intentado adivinar quién salió más herido. No hay huellas en el silencio, sólo orgullo. B dice que el orgullo es inútil y el que lee opina lo mismo. Lo que dicen del orgullo es más inútil que el orgullo porque ninguno de ellos cede.

Pienso en mamá que es la reina del silencio. Pienso en los dos, en mamá y en quien lee. Los pienso jóvenes, muy jóvenes: dos silencios que se alargan para compartir un angosto catre, que cuando hay poco de comer lo engullen sin prisa, que no tienen halagos para la alegría ni insultos cuando las cosas van mal. B habla de ella como si estuviera viva y a quien lee lo trata como un muerto. Quien lee tiene manos ásperas y casi nunca me mira a los ojos. Quien baila me mira a los ojos todo el tiempo. Tenemos los cuatro una rutina precisa que mantiene limpia la casa y caliente la comida, que nos lleva y nos trae de nuestras obligaciones, que no cambió en ausencia de B y sigue igual con su presencia. Los domingos vamos a la iglesia y todavía el cine es un misterio para mí, un misterio que B atiza. Quien lee dice que es pronto para el cine y B amenaza con llevarme a escondidas. Quien lee sabe que jamás iré sin su permiso. B cuenta que más allá de nuestro barrio las calles de Ciudad Inmóvil terminan contra el cielo. Habla de extrañas cosas y raros colores, de los taxis que pasan y pasan como un carrusel. De las personas que son más veloces que los taxis y los perros que huelen todo a su paso. En la iglesia hay otros niños, algunos hacen bulla mientras el cura da su sermón. A pesar del calor quien lee y quien baila llevan corbata. B se sienta al lado de quien baila y yo de quien lee. B no lleva corbata.

Entre dos silencios es más fuerte aquel que sigue siendo silencio y eso vale para todo lo que existe y para lo que dicen que no existe y que, sin embargo, ríe. Los duendes del aljibe y los personajes de un libro, la mano que me toca el pelo en la oscuridad, la guitarra negra en el rincón, el sueño de quien baila y de quien lee hacen parte de mis silencios y si me empeño puedo escucharlos; otros me están negados. Esto ocurre porque a menudo lo que llamamos silencio es sólo el eco de una fiesta a la que no fuimos invitados; cuando es así basta tum-

barse en el piso y aguzar el oído. Otros, como mamá, son irre-
mediables. Ella fue silencio antes, lo es ahora y lo será siempre.
Quien lee me deja algunos libros y otros están prohibidos, en
uno de estos últimos encuentro y subrayo las siguientes líneas:

<u>*Un recuerdo es algo que ya no tienes, un deseo algo que*</u>
<u>*podrías tener. Lágrimas surgen por uno y otro. Sólo cuando el*</u>
<u>*recuerdo es más fuerte que el deseo la vida es triste; sólo cuan-*</u>
<u>*do no hay lágrimas la vida es vacía.*</u>

Tengo 13 años, el pelo hasta la cintura, llueve y estoy frente
a una puerta. No tuve lágrimas para mamá y no las tengo aho-
ra. Estoy frente a una puerta. ¿Debería tocar?

—¿Qué entiendes por silencio?

Me lo pienso un poquito.

Sara cierra el cuaderno y se tiende en la cama. Su apartamento es pequeño y acogedor, las paredes son de color rosa, también el cielo raso. Aparte de su habitación hay un baño, cocina, sala-comedor y el cuarto de su hijo. Llegamos hace una hora, comimos pollo y papas fritas recalentadas. Me mostró su libreta de cuentas a cambio de dejarla leer el diario de Maya. Mientras lee me hace preguntas; también tengo un montón que hacerle pero todavía no me decido.

—Una canción que nunca existió —digo—. O, mejor aún, una que no puedes recordar. He odiado tanto ciertas canciones que les pagué un viaje sin regreso al olvido.

—¿Y los tipos que se meten en las cabinas de un café internet a mirar porno? Eso para mí es silencio.

—Sería más silencio una página porno que nadie visitó jamás.

Sara sonríe, es natural que odie el porno por internet, debe ser una fuerte competencia. Tiene puesta una bata de seda verde y sandalias rojas. Sin maquillaje parece más joven.

—¿Has estado en una de esas cabinas?

El NO automático se dispara y enseguida doy marcha atrás para reconocer sólo dos de mis varias entradas a esas cabinas. La tortuga vestida de seda espera con expresión de *te cogí, pequeño bandido*.

—La primera fue por curiosidad y me aburrí —digo. Mi mente corrige: *estuviste seis horas y te hiciste la paja dos veces*—. La otra fue para ver versiones pornos de historietas y dibujos animados. Había una muy graciosa donde el Inspector Clousseau se tiraba juntas a la Pantera Rosa y Minnie Mouse, en otra Candy sodomizaba a Tin Tin con un pene de acero.

La tortuga suelta un largo bostezo y vuelve al diario de Maya.

3
QUIEN BAILA MUERE

Corrí toda la noche tras B y luego empezó la lluvia y nos perdi-
mos uno del otro o él me abandonó. Seguí sola hasta que la
hierba quedó atrás y en su lugar aparecieron las anchas aveni-
das que, según B, llevaban al cielo. Pero la hierba estaba allí, se
asomaba rabiosa por los bordes del asfalto. Imaginé los millo-
nes de kilómetros de avenidas que sepultaban la hierba alrede-
dor del planeta. Tumbas sin epitafio de lo que fue el hogar del
antílope y el león, de la ardilla y la comadreja. Las señales de
tránsito, los faros y las bocinas eran los nuevos dueños del rei-
no; el mundo salvaje había sucumbido en otro más feroz y des-
piadado. Tomé una calle al azar, la gente iba y venía con
impermeables, algunos tipos me miraban de soslayo porque el
agua me empapaba el vestido y los pezones traslucían bajo la
tela. La calle terminaba en un parqueadero, al lado de éste había
una casa de dos pisos. Necesitaba pronto un baño o reventaría.
Me acerqué a la puerta, dudé un instante antes de tocar tres
veces con los nudillos.

Ellos me prestaron el baño, me dieron de comer y me deja-
ron dormir en el cuarto de huéspedes. Nunca les dije la verdad,
les conté una buena historia. Nunca le dije la verdad a nadie,
ni siquiera puedo escribirla. La verdad es que no existe una
verdad, sólo buenas historias. Quien baila se habría encontra-
do a gusto entre los pájaros, es lo que quería quien lee. Quien

lee lo llevó arriba para evitarle el encierro. *Pensó que la rama era fuerte para sostener a quien baila, sólo debía dejar de bailar unos minutos, quedarse quieto hasta que los extraños se fueran. Pero quien baila no podía detenerse y siguió su frenética danza en la copa de los árboles hasta caer como guayaba madura en el fondo del aljibe y sólo allí estuvo inmóvil por primera vez. Los extraños acusaron a quien lee por la muerte de quien baila. De nada sirvió mi angustia ni la rabia de B; los extraños querían una buena historia y quien lee sólo tenía la verdad. A quien baila lo sacaron del aljibe con una sonrisa, a quien lee lo metieron en una estrecha celda. B agarró su guitarra y dijo que debíamos huir o también seríamos encerrados. Llené un morral con mis cosas favoritas y corrí toda la noche, bajo la lluvia, tras B.*

Si quien baila no hubiera golpeado a esos niños detrás de la iglesia todos estaríamos juntos. Si quien lee hubiera dejado que se llevaran a quien baila al manicomio todos, menos quien baila, estaríamos juntos. Quien baila no debió caer del árbol, no debió pegarle a esos niños, no debió salir de la iglesia sin permiso de quien lee. Si los padres de esos niños no hubieran acusado a quien baila de peligroso todos estaríamos juntos. Si quien lee no se hubiera ahorcado en su celda aún podría soñar con encontrarlo. Todos han muerto: mamá, quien baila y quien lee. Sé que B huyó lejos de Ciudad Inmóvil, a veces pienso que murió. Si está lejos tengo chance de encontrarlo, si está muerto sólo quedo yo. Si estuviera segura de la muerte de B tendría menos ganas de vivir. ¿Será verdad que los muertos se encuentran? Si así fuera tendría menos ganas de vivir. Estar vivo da mucho qué pensar; mamá estaría viva si no me hubiera traído al mundo. No importan las intenciones, basta moverse para causar dolor.

Cada día me tratan con más afecto en esta casa y debo fingir afecto. Han pasado casi dos años y me ha crecido el pecho y las demás cosas que me convierten en mujer. Mi hermana (también cumplirá quince años) es robusta, pelirroja y con la cara llena de pecas. Mi padre es alegre y va al gimnasio, mi madre es delgada y tiene ojos claros. Me siento agradecida con ellos y me esfuerzo por creer que son mi familia, pero no basta el deseo y la voluntad. B es parte de mis sueños y pesadillas, está allí para recordarme quién soy. La fiesta de quince años empezó bien y terminó mal. Mi padre se enojó conmigo y me pegó en la boca con el revés de la mano. Tuve una pequeña herida y un hilo de sangre. No lo odié por eso, estaba desconcertada y cuando me pidió perdón olvidé todo. La razón de su enojo fue encontrarme en la cocina besando a un chico. Me gusta que el tiempo borre ciertas cosas y detesto las que deja, las que son tan pesadas que el pobre corazón no puede cargarlas. Pasaron dos años más sin noticias de B. Estaba en la universidad estudiando filosofía y letras, quería desentrañar el secreto de quien lee, su obsesión por los libros. Mi hermana había optado por ser veterinaria. Justo entonces, cuando todo parecía perfecto y había empezado a quererlos, apareció B.

4

—Nunca había pensado en eso.

—¿En qué?

—La hierba debajo de las avenidas.

—¿Qué tiene de raro?

Estoy sobre Sara, le he levantado la bata y he metido mi sexo entre sus piernas. Le he besado el cuello y la boca y hace un momento le estaba estrujando las tetas que se habían endurecido un poco. Antes de subirle la bata le estaba sólo acariciando los pies. No era mi intención llegar tan lejos; algo que leí en su libreta me produjo melancolía y como tenía sus pies tan próximos no resistí las ganas. Sus pies son blancos y redondos como los de un bebé, un bebé gigante con ojos de tortuga. La situación era así: Sara estaba tumbada en la cama y yo sentado en el borde, cerca de sus pies. Ambos leíamos y de vez en cuando ella paraba para hacerme alguna pregunta del tipo:

—¿Eres B?

—No.

—¿Quién eres?

—No lo sé, quizá aparezca en las últimas páginas.

Podría haberme quedado en los pies, jugar con ellos un par de minutos y regresar a la postura original. Es esto lo que arruina las canciones y produce miles de accidentes por hora: la incapacidad de frenar a tiempo. Tenemos, hombre y mujeres, una inclinación natural a decir demasiado, tocar demasiado, pensar que los otros respetarán la luz roja. Los más avispados son aquellos que parecen idiotas, los que te dejan ir lejos sin oponer resistencia y luego te aprietan las clavijas. En mi favor puedo aducir que he consultado con Sara cada movimiento: *¿Puedo besarte el cuello?* Y ella, sin dejar la lectura, responde: *Si eso quieres...*

—Maya tiene razón —susurra y recuerdo que su hijo duerme a pocos metros de allí—. Vivimos sobre tumbas. La hierba trata de escapar por los bordes, he visto pedazos de hierba en las paredes de un edificio. De niña estuve a punto de ahogarme, no puedo imaginar algo más horrible.

—¿Puedo hacerlo?

Me mira desde lo alto hasta hacerme sentir un insecto, un sucio y excitado escarabajo.

—Si eso quieres...

Saber que su hijo podría entrar no me detiene. Su cuello es una pequeña línea entre la enorme cabeza y el caparazón, allí meto la lengua mientras me muevo hasta eyacular y enseguida la realidad fría me aplasta. Bajo de la tortuga. Voy al baño. Me quito el condón y, antes de tirarlo al tinaco, le hago un nudo para que el semen no escurra. Regreso a la postura original y sigo leyendo. Ella no se ha movido, la bata sigue arriba y su cuerpo al descubierto. Quisiera bajar la bata pero no me atrevo, por alguna razón me parece ofensivo haber usado ese cuerpo y ahora querer borrarlo. ¿Qué hacen los gatos con sus excrementos?

—Bájala —dice.

Lo hago. La indiferencia es parte de su oficio, de otra forma no podría sobrevivir. Un oficio duro que, como todos, termina siendo mecánico. Cortar vacas en pedazos, conducir el autobús de una escuela, dejar que gente extraña use tu cuerpo. La indiferencia mantiene a flote su dignidad. Me cabrea saber que desde su punto de vista se trataba sólo de prestarme un servicio. Como alguien que vende hamburguesas y reserva las de cortesía para sus amigos.

5
OPERACIÓN DRAGÓN

Confiar en las palabras que son tan frágiles y evasivas es una locura y, sin embargo, estamos condenados a ellas. ¿Conoces algo más duro y frío que el acero? Son las palabras quienes calientan la sangre del leopardo y enfrían el corazón de las ranas. Nada existe hasta quedar atrapado en ellas y todo lo que sucede ya estaba escrito y todo lo que sucede no habrá sucedido hasta que se escriba y todo lo que sucede, sucede porque hay palabras y para que haya palabras. No importa si fue hace mil años o mil años después; el sentido del tiempo está en las palabras que lo nombran y lo describen. Supe decir dignidad antes de ser digna y leí la palabra malicia cuando mi alma estaba forrada en terciopelo. Mi amiga se llama Lena y sigo buscando una palabra que diga cuán oscuro tiene el pelo. Lena viene de un lugar donde la hierba es más fuerte que el sol, donde el sol tiene que pedir permiso a la hierba para entrar, donde todavía no existen avenidas, ni pitos ni señales. He visitado ese lugar con Lena, montada en el caballo de sus palabras a través de la hierba y los pájaros de su infancia. He visto el cadáver de su padre y a su madre correr jalando a Lena por el brazo y a siete niños más pequeños que Lena. Su padre murió de un disparo en la cabeza. El rostro del asesino estaba pintado de hierba.

Le he contado a Lena sobre quien lee y quien baila, le he dicho que crecí en una casa llena de libros y silencios. Ella creció entre hachas y pájaros pero siente, igual que yo, que un sortilegio la arrastra hacia los libros. Somos dos chicas que viven con extraños; nuestras preguntas zumban, compartimos preguntas sin respuesta, la música y el miedo a los vampiros. En vacaciones mis padres me dan permiso de ir con Lena a otra ciudad. Viajamos dos horas en autobús y llegamos al atardecer. Al día siguiente salimos temprano a conocer la playa. La arena es más oscura y el mar más limpio que en Ciudad Inmóvil. Nos sentamos en la arena y cien chicos nos cercan como abejas a un panal de miel, el más bello tiene ojos grises y el tatuaje de un dragón le recorre la espalda. Les muestro mi libro más amado y todos, menos uno, huyen despavoridos. El del tatuaje se queda porque también tiene un libro: Técnica del dedo pulgar. El chico me propone intercambiarlos. Él nos presenta al señor Bruce Lee y nosotras a la señora Dickinson. El señor Lee puede derribar paredes con su puño sin hacerse daño. La señora Dickinson puede sacarte más lágrimas que el dolor con tres palabras. Ambos son fuertes y seguro harían una bella pareja. El chico se pone los lentes de sol para observarnos. Somos dos lindas chicas que viven con extraños. Cada una es linda a su manera y él no sabe qué hacer. Lena me agarra la mano para recordarme que somos una. El chico suspira y nos invita a una fiesta. Nos deja al señor Lee y se aleja con la señora Dickinson.

La fiesta es en un bar. Dentro la música y el humo nos aturde. Hay tantos chicos y chicas bellas como puedas imaginar. Los chicos van de un lado a otro torsidesnudos. El chico del tatuaje nos ofrece de beber. Lena está enamorada del chico, lo sé y ella sabe que lo sé. El chico está enamorado de mí y ambas lo sabemos. Le pregunto por la señora Dickinson y él señala a otro chico que, de espaldas a nosotras, parece leer. Sobre su espalda se extiende el mismo dragón. Antes que el nuevo chico nos muestre su sonrisa el aire se me va. Antes, mil años antes, que sus ojos se encuentren con los míos, una capa de hielo cubre mi corazón. El nuevo chico me abraza, sus lágrimas queman mi piel. Ha crecido un poco, es más fuerte y menos delgado. En una mano sostiene a la señora Dickinson y en la otra su guitarra.

6

—¿*Se conocen de antes? preguntó aquel chico y B respondió: De siempre.*

La voz de Sara se quebró como una rama seca. Su grueso caparazón fue estremecido por el llanto que intentó apagar contra la almohada.

—¿Mamá?, ¿te pasa algo, mamá?

La voz del hijo llegó desde el pasillo. Sara se levantó de un salto y se plantó en la puerta. Lo único que alcancé a ver fueron sus pies descalzos frente a los de Sara.

—Todo está bien, cariño —dijo Sara.

Aquellos pies se movieron nerviosos.

—¿Seguro?

—Seguro —dijo Sara—. ¿Qué podría pasar?

Sara se agachó y los pies del hijo se empinaron para luego darse vuelta y alejarse. Sara esperó un minuto antes de cerrar.

—Es mejor que me vaya —dije.

—Quédate —dijo ella. Estaba otra vez en la cama con el cuaderno sobre el pecho—. Si quieres dormir, acomódate. Me faltan sólo unas páginas.

Viéndola leer me pregunto qué carajos le importan a ella los recuerdos de Maya y qué pensaría Maya si supiera que una puta está leyendo su diario.

—Aquí hay un teléfono —dice Sara—. Parece que es el número de Lena. ¿Tú conoces a Lena?

—Tanto como tú —digo.

—No te creo —dice y vuelve al diario.

Sara no puede leer en silencio, debe susurrar cada palabra. Si no lo hace se pierde. Esto le pasa a las personas que aprendieron a leer tarde, al menos eso decía uno de mis profesores.

¿Quién inventó a quién?

Cuando te rompes una uña toda tu atención se centra en ella haciéndote olvidar el resto. Por un instante no sientes nada, tu cuerpo deja de existir, la uña lo ocupa todo. El vacío que atribuyes a algo o alguien que te falta es como ese dolor: al lado de ese vacío el mundo que te rodea resulta insignificante. Apenas la uña deja de doler los otros males regresan con tu cuerpo. La inesperada presencia de B me produjo una intensa y fugaz alegría; supe enseguida que nada iba a cambiar, que mi vacío era dos veces más grande que B y que por un segundo en el paraíso hay que pagar largas noches de zozobra. Es mi hermano y lo amo, ese amor me aniquila. Cada cosa que pide la acepto sin rechistar. Por su culpa soy ingrata y rompo el corazón de quien no debo. Ni una llamada para un último adiós me permite al hogar de estos años. Lena le habla a mi conciencia que está sorda. Tener a B significa renunciar al sueño de encontrarlo. La pesadilla más atroz no es la muerte de quien amas sino vivir en lo sucesivo; es eso lo que nos llena el alma de mugre y hace del amor una criada.

Los eventos trágicos o felices nos sacan del sopor. La tierra no es redonda, es un planeta cuadrado, una enorme oficina pública, un cajero automático que nos indica cómo sacar la miserable paga cada fin de mes. Lo sucesivo engulle las fantasías sin chuparlas. Fechas, recibos y resfriados miden nues-

tro tiempo. Las películas y los libros oponen resistencia, las drogas oponen resistencia, el suicidio opone resistencia a la inmensa máquina de lo sucesivo. Si algo es inútil o peligroso no lo dejes pasar. Si algo es extraño síguelo. Supongo que huir de lo sucesivo me llevó a la cama de aquel chico. Lena dijo que tuviera cuidado, que conservara la distancia, que no me hiciera el tatuaje. Lena le hablaba a mi conciencia que está sorda.

Durante años busqué el significado de ciertas palabras con la intención de convertirme en eso. Creía que ellas albergaban una entidad y si la descubría obtendría su poder. Aunque habitamos en una intrincada selva de adjetivos he descubierto que las palabras importantes no pasan de dos o tres: Ser justos. Esas dos palabras agotan el idioma (en cualquier idioma) y el destino humano (sin excepciones). Belleza es una extraña palabra para nombrar imposibles. Verdad es un sinónimo de belleza al igual que honesto, auténtico y tantas que podría recordar. Mi pregunta sobre la vida y las palabras sigue siendo la misma: ¿Quién inventó a quién?

—Ésta tiene un tornillo flojo —dice Sara haciendo una pausa—. ¿Qué pregunta es esa? Cualquiera sabe que la vida estaba antes que las palabras. ¿O acaso los sordomudos no viven?

Escucho a la tortuga sin reparar en lo que dice. El diario de Maya se esparce por la habitación como una bomba de humo. Sus palabras suben y bajan como arañas por las paredes. Mi mente trata de asirlas, mi mente sabe que Maya y sus personalidades secretas están en ese cuaderno, acosándome desde las apretadas líneas. *¿Cómo se puede ir tan lejos en tan poco tiempo?* susurra la tortuga. Su voz pierde fuerza; la morbosa curiosidad está a punto de ser vencida por el sueño.

La familia de B

A pesar de los ardientes besos supe enseguida que ella no era su mujer ni los gemelos sus hijos. Le quedaban grandes; era una familia tan prestada como había sido la mía o la de Lena. Me intrigaba que llevaran una vida de ricos siendo que ninguno tenía empleo o propiedades a la vista: ¿De dónde salía el dinero? Ella era rubia, de amplias caderas y ojos azules. No parecía tener más años que B. Los gemelos estaban por cumplir tres años y eran la viva imagen de la madre. Traté de sacarle algo a mi chico y sólo obtuve evasivas. Los otros miembros de la pandilla (tres chicos y una pelirroja) ni siquiera me dirigían la palabra. Solían reunirse para tocar en el garaje de B. Hablaban, como todos los grupetos de vecindario, de grabar sus canciones y ser famosos. También de asaltar un banco y dejar los pequeños robos de supermercado. B sostenía la fiesta. Me habían dado una habitación y dinero para gastos. Con aquel chico descubrí y me aburrí del sexo. Su entusiasmo era increíble, tanto que pasó por alto preguntarme si me gustaban sus continuos estrujones. Con las semanas empecé a participar de los robos. No lo hacían por dinero (B y su rubia tenían suficiente), querían mostrarse duros. La música y los robos iban unidos, todas sus canciones hablaban de lo maravilloso que era asaltar bancos. Una noche la rubia bebió y habló más de la cuenta (es lo que se espera de una rubia). Mi desalentador pronóstico sobre ella y B fue superado con creces: Aún estamos a tiempo de ser realistas repitió antes de quedar despaturrada en el sofá. B y su pandilla estaban en la cocina y los gemelos dormían arriba. ¿De dónde sacaba B el coraje? Marqué el número de Lena y la puse al tanto. Ella me exigió salir corriendo de allí y regresar a Ciudad Inmóvil. ¿Habría cambiado el destino con eso? Eso suelo preguntarme.

Las regiones frías le decían al bar. El bar tenía otro nombre que he olvidado. Ellos le llamaban así y nadie me explicó por qué.

Los tipos que disparaban parecían salidos de una película: altos, robustos, forrados en cuero y con lentes de sol a medianoche. B había salido por marihuana y yo estaba en la barra. La velocidad de las cosas aumenta cuando hay disparos. Una bala atravesó la frente de una pelirroja que se quedó inmóvil, con los brazos colgando y una estúpida sonrisa en los labios. Mi chico recibió varios impactos en el pecho y rodó por el piso. En otras mesas también hubo bajas y luego el humo borró las imágenes. Los tipos desaparecieron en sus ruidosas motos. El barman estaba tumbado sobre mí, temblaba y de su brazo izquierdo goteaba sangre. No me dejes morir, decía. Es sólo un rasguño, le dije. Lo aparté y salí agachada, afuera estaba B con su guitarra. Su rostro había perdido el color, con un gesto me pidió seguirlo. Caminamos entre los curiosos que rodeaban el bar. B iba unos pasos adelante, al llegar a un callejón empezó a correr y corrí tras él. Sus piernas eran veloces y no tardó en dejarme atrás. Maldita sea, dije. Otra vez no. El dolor y el miedo, usados en las dosis correctas, son un tesoro. Alcancé a B en tres zancadas y lo pasé de largo.

Me despierta un ruido. La luz del amanecer se cuela por la ventana. Recojo el cuaderno y le acomodo la almohada a la tortuga que ronca bajito. Salgo y entro al baño, me lavo la cara y abotono la camisa. El ruido de algo que hierve viene de la cocina. Voy hasta allí. El hijo está preparando su desayuno. Compartimos un café y me pregunta quién soy.

—Un viejo amigo de tu madre —digo.

—Mi madre no tiene amigos —dice él. Pienso: *eres demasiado listo para mí, sólo déjame ir*—. ¿Vamos?

Me guía hasta la puerta. Tiene un morral en la espalda y la fragante actitud de los trece. Caminamos juntos hasta el paradero. Allí encuentra a dos compinches y cruzan frases en una jerga indescifrable para mí. Los compinches también portan morral. Parado al lado de ellos me siento un dinosaurio. El autobús aparece y ellos suben de prisa. Desde arriba levantan el pulgar al mismo tiempo para decirme adiós. Me siento en la banca al lado de un anciano y un agente de policía. Abro el diario justo en la página donde está el teléfono de Lena. Al lado del paradero hay una cabina telefónica. Paso las páginas y leo un párrafo sobre mí:

El pez hielo
Conocí a un músico; es el clásico genio incomprendido. Trabaja en la radio y vive abajo, justo abajo de mí. Su excentricidad o locura es comprar cigarrillos que nunca fuma, hablar de su

sexo en tercera persona (sé que borrarás está línea) y soñar que atraviesa el big bang: me refiero a·que escribe canciones en inglés y quiere llegar desde su cuarto de hotel barato a la portada de Rolling Stones sin escalas. Me gusta, es inofensivo y discreto. Juega como yo con las palabras: alma (soul), tristeza (blues), rabia (rockandroll). Ayer discutimos un rato sobre mis obsesiones y pareció asustarse. Se supone que soy una taquillera con ganas de echar raíces (lo soy). Nadie espera que hable como la archienemiga de Foucault (lo soy). Su ingenuidad me conmueve y suelto la lengua: ¿Contienen los libros la experiencia y con sólo leerlos la adquirimos? J. M. Thomas dice que sólo es capaz de crear algo maravilloso alguien que esté por encima de su creación (el artista como dios). Bajo semejante pesquisa para aproximarnos a un libro debemos superarlo o al menos igualarlo en la experiencia que contiene. Los libros revelan sus secretos sólo a quien ya los sabe. Se lee para medir fuerzas. Nos deslumbra un libro cuando encontramos rasgos de nosotros y en la intimidad acusamos de plagio (o al menos de ladrón) al autor. Leer es un ejercicio de vanidad tanto o más poderoso que escribir. Medirnos con alguien que ha vertido sus ideas en letras de molde nos eleva a alturas imposibles para la consabida lucha interna... Imagina la cara que puso mi don nadie. El pobrecillo apenas atinó a preguntarme quién era J. M. Thomas y compasiva le respondí que Rico, el detective negro de Miami Vice. Tuve que correr al baño para no reírmele enfrente.

Él y B han hecho migas y temo que lo meta en uno de sus rollos. Le dije: Es un buen chico, no vayas a arruinarlo. Me pidió estar tranquila y ninguna cosa me gustaría más. Siendo músico entiendo que le revuelva cosas a B. Necesita tanto un amigo. Quisiera sentirme a salvo, creer que hay una oportunidad para los tres. ¿Ves lo que digo? Estando B tan cerca es inevitable el triángulo. B insiste en que sigamos aparentando ser extraños y esto complica las cosas, crea vacíos y da lugar a *la intriga y la malicia. Es un buen chico no un idiota y las preguntas no tardarán en invadirlo. He pasado por esto y mi nivel de resistencia disminuye con los años. A Superman lo vence la kriptonita, a mí las preguntas.*

Dentro de mí estoy, pataleo por imponerme. Me dieron este mundo por error y quiero devolverlo. Prefiero vagar en los adjetivos, en las palabras que esperan pacientes ser pronunciadas. El mundo puede seguir sin mí y yo sin él, pero el mundo es voraz, lo quiere todo. Ninguna criatura, por ruin o despreciable que sea, deja escapar. Me conformaría con un rincón donde sentarme a tejer largos pensamientos sin propósito. Pero el mundo te cobra cada segundo, cada fragmento de oxígeno. Pataleo en vano, el mundo me somete como a todos. No soy un superhéroe caído por error en un planeta azul que debo salvar. Fui engendrada aquí y aquí estaré hasta podrirme y ser reintegrada a todo; así es como este mundo glotón conserva peso y volumen a conveniencia. El mundo me somete, me cierra el pico, me confunde con el resto. La que soy dentro salta afuera para mezclarse y pedir a gritos su trozo de felicidad, su amo. Lo ves: soy otra mujercita ansiosa de llenar su vientre con un hijo y sus días con un hombre. Un hombre que se hunda en mí, que se abra paso en mis entrañas y me obligue a ser suya. Uno que me raye el alma y me haga boquear en busca de aire. Un hombre que no haga preguntas y acepte de buena gana que odio explicar mis actos, que no soy parte de ellos, que vivo al margen de mí. ¿Crees que pido demasiado?

Giovanni Nicola Roca

VERSUS

7 TORPES BAND

CLASSIC DEATH

PARENTAL
ADVISORY
EXPLICIT CONTENT

track 5. *Lo que mató a Tom Jones*

Pava Records Inc.

(*LO QUE MATÓ A TOM JONES*)

0

Ciro, el amigo de Rep, murió un 3 de febrero. Lo mató un carro fantasma. Tenía 27 años y los tendrá para siempre como Morrison y Cobain. Su cuerpo fue velado en la Escuela de Artes, frente a esa escuela él y otros de su estirpe pasaron los mejores años de su vida. Acompañé a Taylor a darle el último adiós, había un chico sollozando frente al ataúd:

—Sabes que lo entiendo —decía—. Eso fue lo que mató a Tom Jones.

—Perdona —dijo Taylor carraspeando—. ¿Dices que murió Tom Jones?

—¿No lo sabías? —replicó el chico con ojos llorosos—. Se pegó un tiro en la boca a comienzos del 64.

Taylor, indulgente, abrazó al chico.

—Tranquilo... ¿Cómo te llamas?

—Nico —dijo él.

—Tranquilo, Nico. Tom Jones está vivo. Quien se pegó el tiro fue Pointer Black.

—¿Crees que soy estúpido? —su voz era lenta. Taylor mantuvo el abrazo—. Tom Jones lo hizo; fue el pionero. ¿Y sabes por qué? No quería meter la basura en bolsas de plástico ni la leche en tetrapack. Mandó a la mierda la mermelada hippie y se negó a participar en la farsa de Woodstock.

—Quizá te refieres a Brian Jones...

—¿Quieres problemas? —dice acuellando a Taylor que retrocede—. Brian se ahogó en la tina como un bebé. ¿Crees que lo confundiría con Tom? ¿Tengo cara de uno que confunde a Drácula con Topo Gigio?

Rep, que seguía a distancia la animada charla, llegó a separarlos. Nico le dirigió una mirada de profundo odio a Taylor y se fue a un rincón de la sala.

—¿Quién es?

—¿Nico?... Alguien que anda por ahí —dijo Rep mirando a Ciro: no parecía muerto, tenía la dulce expresión de un niño que duerme—. Está obsesionado por Tom Jones, tendrías que ver su cuarto; le armó un pequeño museo y jura que murió en el 64.

—Pero Tom Jones está vivo... ¿O no?

—Creo que sí —dijo Rep—. Me da igual; sólo un idiota perdería el sueño por esa momia rizada.

—Ese no es el punto —dijo Taylor—. ¿Está vivo o no?

De afuera llegaron gritos, era la madre de Ciro. Una bella señora abatida por un dolor sobrenatural. Dicen, quienes le dieron la noticia, que en cinco minutos envejeció 20 años y su pelo perdió el color para siempre. Rep fue a abrazarla.

00

En 1963 Tony Richardson (directora de *Mirando hacia atrás con rabia*) ganó el Oscar por *Tom Jones* (basada en la novela homónima del autor inglés Henry Fielding); ese mismo año Tom Scott (que luego sería conocido como Tom Jones) iniciaba su carrera musical con el grupo Senators. Muchos creyeron que el tosco personaje de la película había inspirado el cambio de nombre del cantante. La verdad es que éste nació en 1940 en Pontypridd, al sur de Gales, y fue bautizado como Thomas Jones Woodward. La *momia rizada* (sus seguidores le llaman *El Tigre*), a pesar del relativo éxito, nunca ha sido considerado uno de los *grandes*. Despegó en 1969 como showman de la tele y luego fue a parar a Las Vegas; su fama está ligada a los años maravillosos de los garitos. A los 61 años Tom Jones recibió el Nordoff Robbins Silver Clef Award (que debe ser el premio que otorgan al mejor cantante de su cuadra). Nico dice que daría uno de sus brazos por que Jones estuviera vivo. Lo está y tengo la prueba: un reciente video donde el anciano barítono aparece meneando las caderas. Sobrevivir significa arrastrarse y Tom es especialista; ha cantado en todos los géneros que estuvieran de moda, ha pervertido las canciones de genios (incluyendo *Kiss* de Prince) y jamás aportó una canción salida de sus entrañas al mundo.

000

—Es un asco —dice Nico.

Hemos visto el video tres veces seguidas y no cesa de repetir improperios contra su ex ídolo. Taylor y Rep lo consuelan.

—Estás a tiempo de afiliarte a Kurt.

—¿Seguro que está muerto?

Hay un silencio ancho, con grasa en los bordes. Rep y Taylor se miran perplejos: la pesadilla más atroz sería Kurt esta noche en la tele aclarando que el suicidio fue una broma y su nuevo álbum está listo (millones de groupies vomitarían sobre sus posters y quemarían sus CDS).

—Puedes jurarlo —dice Rep.

El vejete Jones sigue dando saltitos en la pantalla. Nico lo observa con desprecio.

—Estás muerto —dice.

En 1989 Milli Vanilli[4]; dos chicos bellos y listos hicieron orinar de emoción a las terrícolas con sus voces de terciopelo. *Girl you know it's true* vendió toneladas de discos y obtuvo

---

[4] Rob Pilatus y Fab Morvan.

una pila de premios. Luego se descubrió que los apuestos negros tenían menos idea de cantar que Daffy Duck y que los verdaderos dueños de esas voces eran un par de gordos feos. Los chicos *playback* sufrieron el escarnio[5]: hubo demandas por daños y perjuicios y devolución en vivo de los premios. El par de gordos feos aprovechó la marea para lanzarse; las voces tenían más terciopelo que nunca pero, sin muñecos, la carrera de los ventrílocuos duró menos que un cono de vainilla en el Sahara. La sexta pregunta del millón es: ¿Qué compraban los fans de Milli Vanilli?[6]

0V

He soñado una canción dedicada a Morrison: *Kata ton daimon a eaytoy*[7] se llamaría. En el sueño es infinita y en la realidad imposible. Tiene la cadencia de *When the music's over* (con Hendrix en reemplazo de Krieger). Las canciones y los sueños pegan los trozos sueltos abstrayendo y rompiendo la lógica. Sin canciones las películas son densas y abruptas, lo que soporta la imagen es la invisible música. Insectos y reyes del mundo pueden enloquecer por la misma canción y es gratis, está en el aire o la puedes bajar de internet: una canción une a los que se aman más allá del amor. Compartir *esa* canción con otro es la ofensa más grave que puedes infligir (si Maya hiciera sonar *Fall in love with me* para besar a Claude-Henri sería la perra más perra del planeta). Cierto que las canciones son la cosa más típica, cursi y desprovista que hay (quizá por eso son el único remedio contra las enferme-

---

[5] Rob Pilatus murió de sobredosis en 1998.

[6] Frank Farian, el hampón detrás de los muñecos y sus ventrílocuos, sigue campante y *sonante*. A propósito, fue el creador de Boney M., ¿otro Frankenstein?

[7] Es el epitafio que los padres de Jim trajeron a Père Lachaise en 1991. Tiene dos interpretaciones; en griego moderno traduce: Al dios que vive dentro de él. Y en antiguo: Creó sus propios demonios.

dades del alma; el alma también es la cosa más típica, cursi y desprovista que hay). El uso de las canciones es ilimitado: ¿Qué harías sin ellas bajo la ducha? Toda persona, por burda o prosaica que sea, ha estado a solas alguna vez rasgando la escoba y creyendo cantar como los dioses. Cuando la memoria nos traiciona unos simples acordes bastan para refrescarla; esto ocurre porque la vida, como las películas, no fluye: salta. De cuadro a cuadro, de evento a evento. La sensación de fluir deviene de las canciones. ¿Crees que las piedras nacieron como piedras? En otra era fueron seres como nosotros. Quien odia la música se convierte en piedra.

Llamo canciones de fábrica a los seseos y gemidos de Shakira o Britney Spears; canciones vacías que se agotan pronto, hechas para sentimientos ultralivianos. Adoro las broncas canciones imperfectas: *Antes de que me hunda en el gran sueño / quiero oír gritar a las jodidas mariposas / Vuelve pronto / nos estamos cansando de tener la nariz pegada al piso / Cancelen mi suscripción a la resurrección / envíen mis datos a las cárceles / allí están mis amigos.* En la canción que sueño las *jodidas mariposas* que menciona Morrison son elementos indispensables. Extraño a Maya, sin ella me toma más tiempo destruirme.

V0

Billy the kid a los 21. Kurt, Hendrix, Joplin, Jim y Ciro a los 27. Rimbaud a los 37, Dylan Thomas a los 39... Tom Jones no debió enterarse que para ser leyenda hay que morir a tiempo. Todos esos muertos ilustres están más vivos que Jones. La paradoja reza: *Estar vivo fue lo que mató a Tom Jones.* En los manuales de buenas costumbres deberían incluir la de morir a tiempo. Son un fastidio y un lastre las momias reencauchadas que cantan, escriben o gobiernan países. No digo que todos deberíamos morir a los 21, pero 50 no es mal número. La fama del Cobain vivo es harto inferior a la del Cobain muerto. La frase: *I hate myself and I want to die*[8] era el título de una canción que los productores decidieron excluir del álbum *In utero*. Cuando en enero de 1994 le preguntaron si se reconocía en esa frase Kurt dijo: *Era un chiste, nada más. Al final tuvieron razón de excluirla; la gente no habría captado la autoironía. Continuamente me pintan como un esquizofrénico furioso, moquillento y maniático que sólo piensa en matarse. Deben saber que no voy a hacerlo, nunca voy a matarme*[9].

V00

Los indios no se dejaban sacar fotos porque temían que les robaran el espíritu. El lunático que mató a John Lennon entró para siempre en su biografía. Con el flash de su disparo extrajo suficiente espíritu de John para alcanzar la fama y el dinero (después que salió de la cárcel escribió un libro y vendió los derechos de su historia al mejor postor). Marvin Gaye murió a manos de su padre en lo que se considera un *fatal accidente casero*. Parece que al pobre Tom Jones nadie lo amó u odió al grado de darle el *empujoncito* y está condenado a estirar la pata por fecha de vencimiento. La influencia de los ídolos en la vida de sus fans puede llegar al delirio. Muchos tipos van por el mundo convencidos de ser Elvis. El sueño secreto de cualquier groupie sería tener una mínima influencia en la vida de su ídolo. Como los mensajes electrónicos y los gritos en el exterior de las ruedas de prensa no producen mayor efecto uno que otro ha recurrido al crimen: asesinar al ídolo es una fórmula extrema pero infalible de influenciar su vida.

---

[8] *Me odio a mí mismo y quiero morir.* Nota del traductor.

[9] Metería, con infinito placer, en la máquina de moler sesos a esos gusanos estúpidos que especulan sobre si el mejor álbum de Kurt estaba por venir o Billy habría matado a 28 al cumplir 28.

V000

El 31 de octubre de 1991 Nirvana ofreció su primer gran concierto en Seattle, la madre y la hermana de Kurt estaban allí. El pequeño y frágil cantante rubio era un manojo de nervios y las pastillas que tragaba como pavo frenético de poco parecían servirle. Viéndolo no era difícil adivinar que tarde o temprano se pegaría un tiro. Courtney y él entonces no se conocían; la víctima en versión rockstar esperaba su verdugo. John había tenido a Yoko, Marco Antonio a Cleopatra, Sansón a Dalila... La mala mujer que destruye al genio, al guerrero, al poeta es parte del imaginario humano. Seattle se llamaba el jefe indio de las tribus Suquamish y Duwamish que habitaron ese territorio siglos antes que Kurt Cobain y sus compañeros de banda se consagraran como el fenómeno musical de los noventa. Una novela escrita a finales del siglo XIX cuenta que a Seattle lo enloquecía una blanca y que ella fue usada para expoliarlo y destruirlo. Seattle, caído en desgracia, maldijo a sus enemigos y juró vengarse del Gran Jefe Blanco a través de esa misma mujer. El 8 de abril de 1994 un electricista encontró el cadáver de Kurt en su casa de Seattle, se había disparado tres días atrás con un fusil de cacería calibre 20. La culpable para sus fans no podía ser otra que Courtney. Kurt era el ícono de Seattle, el Gran Jefe Blanco: la profecía del jefe indio se había cumplido.

En 1854, siendo Isaac Stevens gobernador del estado de Washington, Seattle[10] le dirigió unas palabras a modo de saludo (o despedida según se entienda): *Después que el último pielroja haya muerto y el recuerdo de nuestra tribu sea ya un mito para los blancos, estas riberas serán tomadas por los fantasmas de mis guerreros. Los hijos de los blancos nunca estarán solos ni conocerán la felicidad; estaremos en sus bodegas, a un*

---

[10] Las palabras y la historia de Seattle son versión libre del autor.

lado del camino, en el silencio del profundo bosque al que pertenecemos. Quien traiciona a otro se traiciona a sí mismo y será traicionado hasta el fin de los tiempos por quien más ame.

Quinta Parte

¿QUÉ CARAJOS SON *LAS REGIONES FRÍAS*?

1

Había escrito en la última página del cuaderno la descripción que me dictó: *Tez cobriza, pelo negro, ojos gachos, un lunar en medio de las cejas (nunca las depilé), la boca con el labio superior más ancho y una pequeña cicatriz del lado izquierdo. 1,62 m, 53,5 kg. Talla 32 en sostén, caderas anchas, piernas gruesas (sobre todo los muslos), he escuchado decir que tengo buen trasero. Cicatriz de vacuna en el brazo derecho. Casi nunca sonrío y odio la gente que se deja crecer las uñas.* No quiso recibir a cambio mis señas, aunque jamás me había visto estaba segura de reconocerme. Nos sentamos en una mesa de la terraza y le pregunté si quería tomar algo.

—No antes de saber por qué estamos aquí.

Le pasé el cuaderno.

—Es el diario de Maya, en una página está tu teléfono y seguro le gustará saber que lo tienes. Pienso que lo escribió para ti —metió el cuaderno en el bolso y se levantó—. ¿Qué sucede?

—¿Hay algo más que el cuaderno?

—¿Para estar aquí? —asiente muy seria, salvo la estatura (deben ser cinco centímetros menos) el resto es exacto. Las manos empiezan a sudarme—. Maya mencionó *Las regiones frías*: ¿Qué carajos son *Las regiones frías*?

Se sienta, la falda va hacia atrás y ella la frena con ambas manos y la acomoda a mitad de sus muslos. Son gruesos, olvidó decir que suaves y bien dibujados. Llamo al mesero. Me sorprende escuchar la palabra whisky en sus labios; no sé qué pedir, lo máximo que había imaginado era cerveza. El mesero está impaciente. *Lo mismo*, me escucho decir. El mediodía saca chispas del asfalto.

—Era broma —dice ella—. Traiga un zumo de limón sin azúcar y una cerveza.

El mesero y yo reímos, ella permanece inalterable como una máscara china. Su celular suena y lo apaga sin contestar.

—Debe quererte mucho.

—También a ti —dice—. Necesitaré un par de días para leerlo, antes de eso no hablaremos de ella. Puedes llamarme y si me parece necesario aceptaré otra cita.

—¿A qué llamarías *necesario*?

Se toma tiempo para responder. Cuida cada palabra que dice como si se jugara la vida en ello. Le ha costado esfuerzo ser quién es y no desperdicia oportunidad de lucirlo. Envidio a los que son como ella, a los que no tienen dudas metódicas, a los que dar la imagen equivocada les parece una tragedia.

—Los buenos negocios son aquellos en que ambas partes satisfacen sus expectativas —las bebidas llegan, ni siquiera el zumo de limón le saca un gesto—. Tienes cinco minutos para enseñarme tu personalidad magnética.

Mis manos sudan, mis manos son una desgracia; no tienen la habilidad de Hendrix, las dimensiones de Liszt, la velocidad de Gould. Podría pasar por alto esos detalles si ellas pasaran por alto que soy torpe, miedoso y blanco fácil de la ironía.

—¿Quién dijo que la tuviera?

—Ella lo dijo.

—¿Hablaron de mí?

—Ya respondí eso. ¿Sabes cuánto tiempo se pierde repitiendo preguntas? —niego con la cabeza—. En tu caso tres de los cinco minutos.

—No repetí, quería...

—Se pierde más negando un error —mis manos dejan manchas oscuras en mis pantalones. Termina el zumo, se levanta y desliza un billete sobre la mesa. Voy a devolverle el billete y no lo acepta—. Invitas la próxima vez.

—¿Habrá próxima vez?

Mientras se aleja su bello trasero parece decirme: *Ya respondí eso, cretino*. El *cretino* va por mi cuenta.

2

Tuve que resistir la tentación de llamarla. Cuarenta y ocho horas pueden ser eternas cuando estás a la deriva (sólo me quedaba dinero para tres noches de hotel). Di vueltas por ahí; mis opciones se habían reducido otra vez a mi hermana o F. Había pasado tiempo desde la última vez que hablé con F. Pasé por la biblioteca y miré a través del vidrio sin detenerme. Entré al bar. Sara no estaba. Esperé en la barra.

—Ya no trabaja aquí —dijo el barman.

En ese momento entró el poeta dando tumbos. Se plantó enfrente mío y me observó de pies a cabeza.

—Estás grave, viejo —me agarró la cara con ambas manos y trató de besarme—. ¿Qué te pasa, hijueputa?

Una puta se acercó y lo abrazó por detrás. Aproveché para zafarme. Él se volvió y besó a la puta en la boca. La puta lo invitó a ir a su mesa, él me agarró del brazo y me obligó a ir con ellos. En la mesa había otra puta y un tipo feo. Nos sentamos, el tipo feo sirvió una ronda de aguardiente.

Sheila, la puta del poeta, hizo las presentaciones. El tipo feo se llamaba León y no le cabía otra cicatriz en el tabique; el nombre de la otra puta no lo alcancé a grabar.

—León acaba de salir de la cárcel —dijo la otra puta—. Iba a pelear en Japón y por celos le partió tres vértebras al sobrino.

—¿Cuándo vuelves al ring, cariño? —pregunta Sheila que es igualita a la novia de Popeye.

—Le quitaron la licencia —dice la otra puta—. Tendrá que pelear en Isla Verde y el Sótano. Se usan manoplas en vez de guantes pero pagan más.

León se pasa la mano izquierda por detrás de la cabeza para rascarse la oreja derecha. Tiene los nudillos deformes y quemados por las infinitas sesiones de sandbag y peraloca. El poeta sirve otra ronda.

—Me darán una nueva licencia —dice León—; voy a machacar a esa rata. En la cárcel bebí sangre de gato. Soy más rápido, tengo un gato en cada pierna. Puedo acabar con esa basura amarilla así de fácil.

Su puño sale disparado hacia la cara del poeta que no alcanza a espabilar, los oscuros nudillos le rozan el mentón y se quedan allí flotando, el poeta los besa. León encoge el brazo y lo saca otra vez como un misil, los nudillos están ahora entre mis ojos.

—El japonés está invicto —dice la otra puta. León encoge el brazo y hunde la cabeza entre los hombros—. Seguro bebe sangre de cobra. ¿Crees que un gato puede vencer a una cobra?

León no responde, parece abatido. El poeta y Sheila se besan. La otra puta estira la pierna por debajo de la mesa y me soba las pelotas. Sheila sirve la tercera ronda. Me siento excitado y con las rodillas le aprieto la pierna. Ella sonríe. León se levanta para ir al baño. La puta me abre la braqueta con los dedos del pie, siento la picha asomarse y sus dedos que suben y bajan.

—Ahí viene —dice Sheila. El pie se aleja y la picha queda vibrando apenas cubierta por la mesa. La miro por el rabillo del ojo; un miserable péndulo que lentamente se queda quieto. León le dice a la puta que quiere un masaje. Se dirigen al fondo del bar. El poeta se ha dormido. Sheila con un gesto me pide seguirla. Entramos a una habitación mal iluminada, las paredes supuran humedad y el calor es insoportable. En un catre está León encima de su puta de la que sólo se ven las rodillas. Sheila se sienta en una mesa se alza la falda y con dos dedos aparta el calzón para dejar libre la raja. Tiene el sexo teñido de rubio pero en las raíces los pelos son blancos; es un sexo pequeño y crespo como un pollito. Saco la picha, ella afirma los pies sobre el borde de la mesa y se echa hacia atrás. Sus movimientos son mecánicos como los de una silla plegable. Se lo meto hasta el tope y hay mucho vacío por delante. El catre de León hace un chirrido terrible. Los miro de soslayo y con esa imagen me muevo dentro de Sheila. Un minuto después el semen sale y la realidad me aturde. León sigue dándole a su puta que gime y le da palmadas en las nalgas. Sheila se limpia con una servilleta y sale. Me quedo sentado en el borde de la mesa mirando la espalda de León.

3

Entregué mis últimos billetes a Sheila y atravesé el bar como un fantasma. Afuera hay brisa y raudos autómoviles. Debe haber cientos de miles saliendo de un bar a esta hora. Dime que no estoy solo, que las ratas amarillas hacen lo mismo del otro lado del globo. Cientos de miles huyendo de un pollito enfermo o leyendo el periódico en un baño público. ¿Qué otra cosa puede hacerse en las ciudades del hombre blanco? El olor de Sheila me quema las manos, sus huesos me han lastimado la pelvis. Una bandada de pájaros pasa encima de mí y, cuando alzo la vista para celebrar, un rezagado me caga en la cara y ríe su malditidad. Ni siquiera me limpio. *Las palabras que esperan pacientes ser pronunciadas.* Era mi frase favorita del diario. Sabía algunos insultos contra pájaros, pero no el que se merecía aquel hijueputa. La imaginé en otra calle, una con pájaros decentes. Tratándose de ella podría estar ahora con el campeón japonés de peso mediano. Sus actos eran invisibles cuando compartíamos la misma cama y ahora Plutón quedaba en la esquina comparado con ella. Son los riesgos que corres cuando conoces a una chica en la playa. La regla número uno es tener cuidado con las inofensivas taquilleras. ¿Habría cagado un pájaro a Foucault? El nombre me sonaba de algo. Otro infeliz franchute poniéndomela cuadrada. A la altura del malecón me alcanzó el poeta.

—¿Qué te pasó en la cara?

Traía la camisa amarrada en la cintura. En el pelo le quedaban restos de una cagada de pájaro. Un niño salió de las piedras y caminó con nosotros.

—¿A dónde van? —preguntó el niño.

—A París —dije.

—A Japón —dijo el poeta.

El niño nos ofreció marihuana en promoción. El poeta le compró un puñado.

—¿Y tú no fumas?

—Ya no —dije.

Unos turistas venían en sentido contrario y el niño se quedó con ellos. Imaginar canciones no te prepara para un mundo salvaje. Cat Stevens era un tonto, Bob Dylan un iluso. La razón por la que los hombres se convierten en genios es atrapar una modelo de Victoria's Secrets. Dylan estaba haciendo comerciales y sus discípulos mordiéndose el rabo. Shakira, la ballena destemplada, lucía su descomunal trasero en la portada de Rolling Stones: todo estaba en venta. El rock había muerto y su cadáver yacía en una mesa de Wall Street. Sólo faltaba que *La Iguana*, el invencible Iggy, cantara a dúo con Gloria Stefan. El poeta había armado un bareto y estaba fumando. De repente apagó el bareto y me hizo la pregunta:

—¿En qué piensas?

Sentí el tirón; por fin el largo y grasiento pez había mordido el anzuelo. Dejé que las palabras se formaran y las fui soltando una por una:

—¿Sabes cuánto tiempo se pierde en preguntas inútiles?

—¿Eso pensabas?

—¿Por qué repites la pregunta?

—Tú eres quien repite.

—No, eres tú quien repite.

—¿Qué he repetido?

—Ahí estás, te cogí —lo había empujado contra un poste del alumbrado, el sol me picaba en la espalda—. ¿Vas a negarlo?

—¿Quieres que diga sí?

—No, quiero que aceptes un maldito error.

—¿Dónde empezamos?

El sudor y la mugre me entran por los ojos dejándome ciego por un instante. Me limpio con el revés de la mano. El poeta le acaricia la cabeza al niño vendedor que ha vuelto a la carga; esta vez nos ofrece CDS piratas. No es un niño, es el *Ángel vengador*; su ilimitado poder destruye la industria. Tower Records será pronto un cementerio, la Sony puede irse al carajo, Tommy Mottola puede hacerle un hijo a Thalía pero su reino es historia. Trato de razonar con el poeta: *Se pierde tiempo valioso en preguntas inútiles y más cuando se repiten y más aún cuando se justifican los errores.*

—Okey —dice—. Supón que ahorramos ese tiempo, ¿en qué lo invertirás?

Chapoteo en la sustancia densa de mi ineficacia. ¿Por qué no le pregunté eso a Lena?

—Ese no es el punto —digo.

—¿Cuál es el punto?

—Olvídalo —digo.

Avanzo entre vendedores de revistas, todos los cretinos de este mundo tienen su portada menos uno. ¿Es lo que quiero? Sí, la quiero. Así sea en una revista de jubilados. El poeta se ensaña: *¿Usarás ese tiempo en decorar tu lápida?* Todos los cretinos, menos uno, ríen.

4

Atribuí la segunda cita con Lena a la insaciable curiosidad humana (había borrado la línea prevista por Maya); pensar en mi *personalidad magnética* era un chiste que no podía permitirme. Traía una falda exacta a la anterior, sólo había cambiado el verde menta por un rojo quemado que iba perfecto con su tono de piel. La tela se ajustaba a cada atributo dejando libre las zonas de riesgo. Como al café no le cabía un alma le sugerí otro en los bajos del Fuerte San Ignacio. Negó con la cabeza y dijo que prefería ir al MAM. En el segundo piso estaban expuestas las últimas obras del pintor Mario Zabaleta que ella encontró fascinantes hasta que presumí de su amistad. Discutimos un poco de arte contemporáneo y luego abordamos el tema de Maya. Tenía anotadas mis inquietudes en estricto orden sobre la palma de la mano. Le hizo gracia, sin llegar a la ternura sostuvo mi mano y leyó:

1. B y la *Técnica del dedo pulgar*.
2. ¿Quién es el padre de los gemelos?
3. ¿Por qué París?
4. ¿Cómo se llega a Las regiones frías?
5. No me preguntes por la línea borrada.

—¿Es todo?

Pude decirle *ya respondí esa pregunta* pero seguro tendría preparada alguna frase ingeniosa y la aguja de mi autoestima estaba en cero. No había podido con un poeta drogado menos con la reina de la selva.

—Depende —dije y rogué que no preguntara ¿de qué?

—Lee esto, es una carta de Maya, está viviendo con Clau-de-Henri. La carta es otro episodio más de su batalla con las palabras. Te servirá en lo emocional y sé que no es suficiente. He descifrado la carta para ti; no trato de humillarte, debes considerar que tengo más información y familiaridad con su lenguaje —me entrega la carta—. Anda, léela y luego vemos mis anotaciones.

París, 19 de abril. Los viejos ensucian la primavera

Morir debe ser suave, mis nervios fluctúan. B decía que era otra cada siete segundos. Y quería parar, ser la única Maya. Pensé que al geniecillo le bastaría saberse amado. ¿En qué me convertí? Es abominable seguir la corriente, soportar la lógica, cumplir obligaciones: la obligación de ser feliz y vestirse en forma apropiada. Desentonar es el crimen.

Las regiones frías era una frase hueca como el cerebro de B. Todos los hombres son pedófilos, todos miran de frente o reojo a las de trece. Los hombres quieren niñas y las niñas no duran un suspiro porque ellos las hacen caer en cuenta y el encanto se rompe. Una mujer es el monstruo que asesina al hombre por haberle robado su niñez. Mi profesor es apacible, la edad de los celos quedó atrás y sabe que soy una joya. El hombre que imagina saber lo que su mujer imagina, el hombre que lo sabe todo debería tomar en cuenta que ella es una máquina terrible porque piensa. Piensa y cambia, piensa en el hombre que ama mientras lo observa y entonces descubre minúsculos detalles: los hombres gruñen cuando están asustados, tienen problemas para alimentarse, necesitan oír que hacen bien lo que no saben hacer. Entre dos que conviven uno no debería pensar. Las parejas perfectas tienen amo y mascota. Los domingos en Des Tuileries veo cientos de parisinos pasear solitarios a sus mascotas (debería comprarle un collar a mi profesor).

Piensa esto: la mujer puede dejar crecer algo adentro. Un mutante que se abre espacio entre vísceras, una especie de tumor que chupará proteínas de lujo. Un amor que matará a los otros y matará a la mujer porque no necesita su sexo sino su alma. Eres una mujer y debes aceptarlo.

Soportar que una mujer sea más mundana, que tenga más en qué pensar, que se mueva con pericia entre los hombres no es aceptable para un hombre. Él quiere que ella lo sueñe no al revés. Recuerdo que el geniecillo estaba prendado de Flecha Verde, un superhéroe de cuarta. Elevaba el fracaso de este personaje para elevar el suyo. Los superhéroes suelen ser alérgicos a convivir con mujeres (en el raro caso que las tengan); supongo que por eso son superhéroes. Me gusta ser mujer, poder llorar desconsolada y al instante darme vuelta y reír dichosa (sé que no hay malicia en esos actos simultáneos, es nuestro privilegio ser veloces). Los hombres están a gusto cuando tienen cogida a su mujer pero jamás ningún hombre tiene de verdad cogida a su mujer. Jamás. La idea de sí mismos los destruye y entonces actúan como mujercitas celosas: se ponen histéricos, odian a sus amigos, se sienten amenazados por cualquier sombra. La duda los corroe y reaccionan con violencia por sentirse inferiores. B se aferró a Cristo y ya ves lo que Cristo hace a veces con las personas, quizá por aquello que las personas le hicieron a él.

5

—Claude-Henri, 54 años. 1,92 m, 89 kg. Ojos azules, nariz aguileña; un poco a lo Marlon Brando en *Último tango en París* (no sufras por eso, piensa que pude decir *Un tranvía llamado deseo*). Profesor de la Sorbona que llegó aquí, pagado por la Fundación Zontla, a dictar un seminario sobre Foucault. Obviaré sus títulos y publicaciones. La mala noticia es que sabe tocar guitarra y oboe. Maya lo flechó por su impecable francés (sí, sé que no te lo dijo) y por ser arriesgada en sus opiniones intelectuales (las de lavar y planchar le dan pánico). Su número de calzado es 47, es XXXL en todo lo imaginable. Practica tenis y hace 35 años fue campeón universitario de baloncesto.

—¿Y el misterio contigo?

—Su fuga me trajo problemas; la familia adoptiva me culpó y pagaron a un idiota que me seguía a sol y sombra. Estuve un tiempo sin saber de ella y cuando me llamó para decirme que regresaba le pedí hablar con ellos, incluso fuimos juntas a visitarlos. Al salir de esa casa le ofrecí a Maya vivir conmigo, pero le preocupaba mi seguridad; ella y Berna se habían metido en líos serios y no quería que yo terminara pagando el pato.

—¿A que se refiere cambiar cada siete segundos?

—Su alter ego era la mutante de *Viaje a las estrellas,* ¿la recuerdas? Tenían el mismo nombre y algún parecido físico.

Maya creía sufrir de personalidad múltiple y eso la atormentaba (su hermano mayor era retrasado y su padre maniaco depresivo). Fuimos juntas a ver el psiquiatra; éste le dijo que su carácter romántico le producía fuertes cambios de ánimo (algo normal a su edad). Le recomendó tener presente la diferencia entre los personajes de un libro y la gente real. Maya citaba a Tom Sawyer o Gregorio Samsa como si fueran sus vecinos.

—¿Qué tiene eso de malo?

—Los niños solitarios suelen inventarse amigos; es normal y hasta saludable. En los adultos esta conducta puede ser peligrosa si se usa como evasión de la realidad o lo que ella llama *vivir en lo sucesivo*. Maya tiene una fe ciega en las palabras, su vida emocional deriva de ellas.

Mientras escucho a Lena las imágenes de Maya giran en mi cabeza. Maya bailando sobre una mesa, saltando sobre mí como una pantera, tumbada en el sofá leyendo revistas (cuando se fue descubrí que dentro de esas revistas ocultaba sesudos artículos cuyos autores no puedo pronunciar). Estaba allí tan cerca: tenía dos libros en francés, se demoraba en llegar a casa, se encerraba horas en el baño a... leer.

—¿Me dejas intentarlo? —Lena asiente. Subrayo las líneas que hablan de pedofilia—. Esto es por su padre, ¿cierto? En una parte del diario menciona una mano que la acaricia en la oscuridad. ¿Quién otro podría ser?

—El padre de Maya era irreprochable y te mataré si repites eso —por primera vez su fría expresión se frunce. Me impresiona su *te mataré*, no lo dice en sentido figurado—. Quizá le faltara temple para mostrar su amor a la luz del día, pero ella sabe que la adoraba... Lo gracioso es que esas líneas fueron inspiradas por ti; siempre supo que la engañabas con una adolescente.

Lo que sigue es absurdo: me veo correr tras ella por el museo y detrás nuestro un vigilante que nos pide parar. Ella alcanza la salida, cruza la calle y se pierde entre la gente. El vigilante me frena y me lleva a una oficina. Conozco a la mujer que está allí. Me ofrece disculpas por el *plagio*.

—Aristides es muy literal —dice refiriéndose al vigilante—. Le dije: tráeme a ese hombre aquí y salió disparado. Hace tiempo no te veía. ¿Tu amiga se fue?

—Tenía prisa —digo—. ¿Cómo está F?

—Estupenda —dice con una gran sonrisa—. Fue idea suya vincularme al museo. Sabes que el banco está a cargo y pensó lo haría bien. Habíamos hablado de ti y, si estás libre y quieres, puedes darme una mano.

La mujer del servicio entra y me ofrece café. Love aprovecha para darle instrucciones al vigilante. Hablamos hasta que el reloj marca las 7:22 p.m. Nos despedimos en la Inquisición y desde una cabina llamo a Lena. Tres intentos fallidos y el aparato de mierda se traga igual las monedas. La cuarta funciona, su voz es tranquila y siento el ruido de la tele al fondo.

6

Peleador sin ley rezaban los afiches pegados a lo largo de las paredes del baño. Un sujeto se metió a orinar al lado mío; era ancho y bajito, su cabeza me llegaría a la oreja. Había una hilera orinando y otra esperaba su turno. El baño apestaba. Cada hombre prefería concentrar la mirada en su propia picha o en el afiche que tenía al frente; husmear la picha ajena podría ser malinterpretado. Terminé y salí, el sujeto ancho me abordó afuera:

—Eres el tío que iba con Berna —dijo con un sobreactuado acento flamenco—. Pobre tío, era un capullete.

—No sé de qué hablas.

—Vamos, coño, si te conozco. Suenas la guitarra; soy Pepe, la monto de salvavidas —estiró la mano y no tuve más remedio que estrecharla (el baño no tenía lavabo)—. Pásate una noche, tengo un *porro* buenísmo.

Subió las escalas y yo me acomodé en la segunda fila de *ring side* junto a Lena. El poeta, su hija y la amiga de León estaban delante de nosotros. El combate de León cerraba la cartelera, su pasado de boxeador candidato al título mundial le daba cierto relieve, el público coreaba impaciente su apodo: *Peleador sin ley.* Los combates anteriores habían reportado poca acción. Las manoplas no consentían errores, si descuidabas el flanco amanecías (teniendo suerte) en un hospital de caridad. Lena tomaba apuntes, no parecía impresionada o asqueada por el espectáculo. Sobre la lona se acumulaban antiguas y nuevas manchas de sangre; pensé en los comentarios que harían los mercurianos al descubrir, 50.000 años después, entre las ruinas de la tierra, aquel cruel palimpsesto. ¿Qué canción encabezaría las listas en Mercurio esta semana? León y sus seconds recorrieron en fila india los 20 metros que separaban el camerino del ring. El público exigía la cabeza de Turok, *El guerrero de piedra*. Turok, que también había subido al ring, era más alto y pesado que León. Ambos lucían llamativas batas de seda. León estaba estirándose de espaldas a Turok que daba saltitos y sonreía al público. A pesar de las magulladuras en un pómulo y la nariz, Turok era apuesto, su pelo casi tan negro como el de Lena lo había recogido en una trenza. El árbitro los llamó al centro, mientras escuchaban sus instrucciones los rivales se miraron con desprecio. Las manoplas de Turok eran negras y las de León plateadas. El árbitro terminó su cháchara y fue a una esquina, en aquellos combates la única regla era ser lo más feroz posible. Se usaba árbitro por nostalgia escenográfica. Turok lanzó dos terribles golpes que León esquivó con facilidad sacando a su vez un gancho que se perdió en el aire. León retrocedió un paso y giró alrededor de Turok que lo sorprendió con una patada en el muslo. León perdió el equilibrio y Turok se le vino encima, antes de caer León logró hacer una finta y Turok pasó de largo estrellándose contra las cuerdas. León se puso en pie de un salto y golpeó con fuerza el hígado y la cara de un aturtido Turok. En ese momento sonó la campana y el árbitro los envió a sus respectivas esquinas. El segundo asalto fue más movido: León le abrió una profunda herida en la frente a Turok que trató de contener la sangre con una mano y defenderse con la otra. Una lluvia de golpes y patadas cayó sobre él y lo obligó a refugiarse en las cuerdas. León, instigado por el público, se preparó para dar el golpe de gracia; justo en ese instante el pie izquierdo de Turok salió como bala de cañón estrellándose contra la mandíbula de su adversario que inició un corto vuelo hasta ring side y se quedó allí, inmóvil. Los seconds de Turok lo alzaron en hombros mientras León era conducido en una carretilla al camerino. En pocos minutos aquella bodega quedó vacía. La bodega estaba frente al muelle, las barcas y los yates se mecían bajo la luna; allí esperamos a que León y su amiga salieran. Lena estaba hablando con el poeta y yo observaba a su hija, una tierna niña en el mundo salvaje. Maya tenía razón, es imposible perder de vista a las de trece.

7

—*Lenguajes prefigurados en la piel de los árboles y el agua...* Detesto las referencias gratuitas; Whitman es un tramposo sobrevalorado. Al final dices: *El viento, cómplice de Neptuno, castiga las hojas secas.* Puede obviarse, la vanidad retórica es una piedra en el zapato. Enseguida mencionas el color del río y caes en el ardid geográfico. Conozco ese río y en ninguna época del año alcanza dicha tonalidad —el poeta la observa entre irritado y complacido. Ella desvía la mirada hacia León—. Para un bateador zurdo se usa un pitcher derecho y en el boxeo esto equivale a la dirección en que giras.

—¿Era zurdo? —pregunta la amiga de León y éste asiente—. ¿Por qué no hiciste lo que dice Lena?

—Me di cuenta al final —dice León—. Nadie dijo que fuera zurdo, creo que mi gente le había apostado a Turok.

Estamos los cinco, como una alegre familia, en un restaurante de la zona turística. León que, sin dejar de masticar, observa embelesado a Lena tiene varios cortes en la frente y un morado en la barbilla. Parecen las huellas de un accidente casero y no de una breve e infernal batalla que lo tuvo al borde de la muerte. La amiga de León también mastica sin perder de vista a Lena. El poeta y su hija y hasta quienes están en las mesas vecinas siguen con atención sus palabras. Ningún tema, por denso o trivial, parece estar fuera de su alcance. Un gorila recién peinado, una prostituta en su día libre, un poeta emergente y su bella hija han sucumbido en aquella partida simultánea con la reina de la selva.

—¿Y qué dices de Albert Collins? —pregunta el poeta guiñándome un ojo—. No esperaba algo así.

Antes de ir a la pelea tuvimos una sesión que inauguró mi trabajo en el MAM: hice la puesta en escena de su lectura. Usé algunos cortes musicales, hielo seco y dos reflectores. Love y F estuvieron a punto de acompañarnos a la bodega, pero el hijo mayor de F se opuso. Había entrado en las filas pacifistas y no comprendía que los espíritus elevados cayeran tan bajo.

—Lonnie Brooks y John Jackson encajaron perfecto, la *Polka di warsava* de Capossela no tanto —mientras habla posa la mano en mi rodilla y me deja sin respuesta—. Considerando que es el debut...

Me aburro de su eficacia, preferiría ver sus tetas o verla tumbada en la arena y que me dejara ponerle bronceador a su trasero. ¿Para qué sirve tanta información? Si fuera un miembro de la NASA que nos va a representar en un congreso interplanetario lo entendería. ¿O acaso alterna con genios en ese colegio *fru-fru*? Tengo una teoría: su insaciable búsqueda de conocimiento tiene como objetivo hacerse querer. Los jeques compran por capricho a estrellas del fútbol en decadencia y ella devora libros y navega horas en internet. Justicia poética sería que todos, hasta el último africano, tuviéramos un Ferrari. A falta de esa justicia quedan los poemas y las canciones. Para una niña que escapó de una masacre y un posterior secuestro sentirse apropiada no es un lujo. Lena no sabe expresar afecto ni locura como Maya, no tiene coraje para desafiar las reglas. Quemarse las pestañas en los secretos del béisbol y las citas de la *Tierra baldía* es su forma de inocular y obtener amor.

—¿Has visto cómo se rasca las patas una mosca? —la hija del poeta niega con la cabeza—. ¿Sabes dónde duermen?

—¿Las moscas? —interviene León. Lena asiente—. Nunca pienso en las moscas, pero he bebido sangre de gato.

—Olvida eso —dice el poeta.

La amiga de León pide que dejen hablar a Lena. Una mosca zumba sobre la mesa, supongo que también quiere escucharla.

8

Esa noche me invitó a su casa y junto a dos de sus amigos (vivía con tres) vimos la parte final de *¿Quién quiere ser millonario?* (Ella, por supuesto, tenía todas las respuestas). Después del programa apagó la tele y ellos subieron a dormir. Preparó café y resolvió otro test del diario. Las piezas que faltaban al rompecabezas fueron apareciendo: Maya en su versión de *rebelde sin causa*, estudiante avezada, pandillera, fugitiva y finalmente la que me tocó en suerte y no pude descifrar: *Chica cosmo*.

—Deseaba un hijo para tirar el resto por la borda —dice Lena—. Me llamó para contarme de ti, creía que eras el indicado.

Deslizo mi mano por el sofá hasta tocar la suya, apenas siente el contacto se aparta como si hubiera visto una serpiente. Se refiere a Maya con amargura; el resentimiento y la envidia se oponen al afecto y la admiración. Acepta a regañadientes la prodigiosa inteligencia de su amiga. Hace énfasis en su capacidad innata de abstraer los herméticos códigos del pensamiento universal, algo negado a la mayoría de los mortales. Critica furiosa su pereza, el desperdicio inútil de talento, de instinto. Da a entender que con la mitad de atributos de Maya, ella, la férrea Lena, estaría en la cima. *El destino de Maya*, afirma con tristeza, *era escribir ensayos tan lúcidos como los de Estanislao. ¿Has leído algo suyo?*

—No.

Para romper el tortuoso silencio que sigue me pide poner algo de música. Hay bastante de los setenta y ochenta. *Take chance on me* de Abba limpia la atmósfera de nombres célebres y pies de página. Intento besarla y se escabulle hasta el brazo del sofá.

—Vas muy de prisa.

—¿Quién lo dice?

—Mi caja de velocidades.

—La mía traquea, debo acelerar.

—Espera: 2:56 a.m. En cuatro horas y dieciséis minutos debo dictar una clase. Podría aceptar besos si tienes claro el concepto *besos*. De la cama puedes despedirte: todavía no pasé de cierta fase y cuando lo haga será para siempre. Esto no implica que sea una monja o un engendro medieval. He tenido bastante experiencia y placer, he compartido mi cuerpo con más hombres que el común de las mujeres a mi edad. La penetración goza de una popularidad tan inmerecida como Whitman. Otra cosa: si decides besarme no lo anotes como puntos a favor. Cuando fui con León a mirar el acuario del restaurante me besó y lo mismo hizo el poeta.

—Nunca te dejé sola con el poeta.

—Estuviste siete minutos en el baño de la bodega. ¿Has pensado cuántos besos caben en siete minutos?

—No.

Otro silencio con púas. Esta vez elijo a Barry White: *Can't get enough of your love, babe.* Quisiera preguntarle si aparte de la clase prepara lo que dice a cada persona en cada ocasión. Si alguna vez se aparta del libreto, si alguna vez limpia su lengua de ironías. Estanislao y Whitman pueden irse al carajo; prefiero mil veces su trasero. Con él quiero hablar, que me hable su ignorante trasero. 3:05. Me acompaña hasta la puerta y allí se queda, marcando los compases de Barry con el tacón, mientras me alejo. Durante las últimas horas he tratado de ignorar el grano que tengo entre las nalgas pero no hay otra realidad para mí que ese grano. Mis dos propósitos en la vida son destruir ese grano apenas llegue al cuarto y olvidarme de Lena.

9

Hace unos meses (o como diría ella: 3 meses, 9 días, 17 horas y 22 minutos) que estamos juntos. Todavía *cierta fase* es un mito insoslayable. El apartamento que hemos alquilado está en el séptimo piso de un edificio con vista al mar. Estoy haciendo la maleta para ir a París; Lena no me dejará poner mi bandera entre sus piernas hasta que resuelva lo de Maya. *Lo de Maya* son mis continuas pesadillas y la molesta sensación que faltó algo por decir. Sé, y ella lo sabe, que no anotó por casualidad su número en el diario; lo dejó como un sebo para el *pez plátano* (así me llama Lena). De una simple exposición de los elementos (he aprendido mucho de Lena) se desprende que mi vida con Lena, y todo el futuro que podríamos tener, fue planeado por Maya. Ella, que en el fondo siempre ha soñado con ser dios, manipuló mi mente (quizá también la de Lena) y me tiene aquí, empacando calzoncillos, jabones y un rollo de papel higiénico (dicen que en los baños de París no se consigue). Lena y ella siguen intercambiando mensajes por internet y una que otra carta (*Porque escribir a mano es un rito y lo demás un negocio*) donde soy un tema vedado. Maya prefiere no saber y Lena no decir. Love me ha adelantado dinero y concedido un mes para resolver mis líos. Ella y F se han vuelto íntimas de Lena. El poeta y su hija nos visitan seguido y de León no hemos vuelto a saber. Lena entra y mete una nota en el bolsillo de la maleta.

Es la quinta vez que escribe esa nota, las otras cuatro las destruí.

—Germán es sólo un amigo —dice para limar asperezas—. Lleva tiempo en París y la conoce bien. No tienes que llamarlo... sólo en caso de extrema necesidad.

Germán fue uno de sus amoríos (otro que no superó *cierta fase*) y no tengo interés en caminar París teniéndolo de compadre. Prefiero ir solo, lucir mi sombrero de *cowboy* sin la incómoda presencia de un guía y menos alguien con ese estúpido nombre. He pasado la vida a expensas de otros: mi madre, que para escapar de mí se fue con un tipo a México. Tuve que lidiar entonces con un padre jubilado que a su vez, apenas recibió el botín del seguro, me echó por orden de su amante. Di tumbos por ahí hasta caer en casa de mi hermana y su dulce marido. He vivido con gente muy rara y temperamental, también gente tranquila; lo único que comparten unos y otros es su opinión sobre mí: *No eres capaz de arreglártelas solo*. Podría considerar esa frase como mi *slogan* personal. Es por eso y su estúpido nombre que no quiero encontrar a Germán y sé, por más que Lena intente convencerme de lo contrario, que si llevo la nota conmigo voy a usarla. Flecha Verde hubiera tenido más oportunidad lejos de Linterna. Robin sería un hombre maduro si Batman se lo permitiera (el problema para Batman es que si Robin fuera un hombre maduro él sería un anciano decrépito). Benitin es más enano y calvo al lado de Eneas. Lena entra al baño por mi cepillo de dientes y aprovecho para destruir la nota.

Classic Technic

Giovanni Nicola Roca

Lee's Grand Master
"Gung Fo.

"BRUCE
LIVE TONIGHT!

track 1. Mister Bruce Lee

Pava Records Inc.

7 Torper Band

(*MISTER BRUCE LEE*)

0

El chino más famoso del mundo nació en San Francisco, California. Sus padres (que residían en Hong Kong) habían viajado a USA y pensaban regresar antes del nacimiento, pero el *Pequeño dragón* se adelantó. Por eso decidieron bautizarlo con nombre gringo: Bruce. La leyenda dice que de niño era frágil, usaba lentes y temía a la oscuridad. A los trece fue atracado por pandilleros y decidió aprender a defenderse tomando clases de Wing Chun (una variante del Kung-Fu) con el maestro Sifu Yip Man. El entrenamiento lo hizo fuerte y pendenciero, sus padres decidieron aprovechar el pasaporte americano para mandarlo a San Francisco donde esperaban sentara cabeza. De allí el inquieto Bruce pasó a Seattle quedándose con amigos de la familia y fue en los parques de Seattle que empezó a enseñar Kung-Fu. A los 21 años el joven, destinado a convertirse en el más grande mito de la acción, estudiaba filosofía.

Bruce Lee abrió las puertas de las artes marciales al resto del mundo. En sus academias recibía a todo tipo de personas y, según algunos estudiosos, fue esa la razón de su muerte. Los maestros de entonces reservaban sus conocimientos para los de su propia raza; no querían fortalecer ni compartir secretos con quienes en el pasado habían sido sus enemigos y por ende amenazas latentes. La actitud de Lee provocó el desafío de Wong Jack (uno de los maestros más radicales y temidos del circuito americano). Si Lee perdía estaba obligado a dejar la enseñanza del Kung-Fu, pero estaba escrito que Lee jamás perdería un combate.

Con su ecléctico estilo donde se mezclaban diferentes formas de lucha, incluyendo el boxeo clásico, Lee revolucionó el arte de la defensa personal al punto de convertirlo en uno de los espéctaculos más apreciados de occidente. Desde niño había estado cerca de las cámaras, así que verse en el set de la serie *The green hornet* (*Avispón verde*) no fue un problema. El personaje de Kato causó impacto y su fama siguió creciendo. En 1965 vino al mundo su primer hijo a quien llamó Brandon. Desde los primeros pasos el vástago de Lee fue iniciado en el Jeet Kune Do, la disciplina marcial inventada por su padre.

De la tele Bruce saltó al cine interpretando siempre al hombre capaz de enfrentarse a todo sin más arma que su cuerpo. Una grave lesión en la columna estuvo a punto de truncar la carrera de Lee, los médicos dijeron que no volvería a caminar. Su recuperación aún es un misterio para la ciencia y demostró que, sin ayuda de las cámaras, Lee también podía sobrepasar los límites humanos. En 1973 alcanzó la cima con *Enter the dragon* (*Operación dragón*); ese mismo año, en circunstancias que todavía son materia de investigación, Bruce Lee apareció muerto. Asistieron 30.000 personas a su funeral en Hong Kong.

Nota: En los días previos a su muerte Lee rodó algunas escenas de *Game of death* (*Juego con la muerte*). Para terminar la película se contrataron dobles. Fue un proceso lento por las condiciones técnicas de la época, el estreno se hizo en 1979. Lo siniestro es que Brandon, actor como su padre, murió 20 años después en un extraño accidente de trabajo cuando rodaba *El cuervo*. La película fue acabada usando un sistema virtual. Las versiones sobre la muerte de padre e hijo involucran desde fenómenos paranormales hasta la mafia rusa. Otros sostienen que ambos están vivos y comparten hotel con Elvis, Dillinger y Morrison en Copacabana.

00

Era un viejo que caminaba solo y un chico que lo seguía. El viejo tenía el pelo blanco hasta los hombros, guiaba una Yamaha W350 y se hacía llamar Bruce. No quería sombras ni discípulos, estaba complacido con su aspecto y su actitud de lobo solitario. El chico insistió, cada rechazo parecía motivarlo y al fin el viejo tuvo que ceder. Con el chico había otros moscones pero la condición que puso el viejo para ser su maestro fue mantener a raya al resto. El viejo ordenó al chico vestirse de negro y hacerse llamar Brandon (en lugar de Berna). Desde ese momento el chico y el viejo se hicieron inseparables. El viejo vivía en una bodega abandonada cerca del muelle y el chico dejó a sus amigos para mudarse con él. Las paredes de esa bodega estaban adornadas con afiches de Bruce Lee: *A goose alone in the world*, *La furia del dragón*, *El gran jefe*. El viejo le aseguró al chico que había aprendido el Kung-Fu en Los Ángeles con el propio Bruce Lee. Como prueba le mostró un tatuaje que tenía en la espalda; ese dragón identificaba a los cuatro alumnos elegidos por Lee para su máxima creación: *Técnica del dedo pulgar*. Quien conociera esa técnica podría matar a sus enemigos sin tocarlos. La misión de los iniciados sería vengar su muerte que, según Lee, estaba por llegar. El chico desistió de aprender el Kung-Fu, quería concentrar todos sus esfuerzos en la misteriosa técnica. Su bautismo de fuego fue el tatuaje; el viejo necesitó tres días con sus noches para acabarlo. Mientras las agujas grababan el dragón en su espalda, el chico devoraba el libro escrito por Lee sobre la temible *Técnica del dedo pulgar*. El chico y sus amigos tenían una banda, no eran buenos pero hacían tanto ruido como Motley Crue. Como el viejo no hablaba con sus amigos, el chico les reproducía sus historias llegando en poco tiempo a ser una especie de profeta para ellos. Todos querían el tatuaje, de la técnica el chico le había prometido al viejo no soltar prenda. El viejo era hosco, sus manos podían romper tablas de siete centímetros de espesor. Las chicas que seguían a la banda se habían enamorado del viejo, él no se dejaba engatusar. Cada cierto tiempo el viejo desaparecía con su moto dejando al chico en la bodega. En su ausencia al chico le estaba permitido realizar ensayos con la banda y usar la marihuana del viejo. Los fármacos estaban prohibidos. Los lazos afectivos entre el chico y el viejo se estrechaban con el paso de los días; el chico se aprovechó de esto para convencer al viejo de tatuar a sus amigos y acostarse con una de sus amigas. La amiga del chico contó después que el viejo era excelente en la cama. Una noche el viejo invitó al chico a uno de sus viajes. Salieron en la moto de madrugada y llegaron al amanecer a uno de los tantos pueblitos construidos al borde de la carretera. El polvo de los camiones se pegaba a todo y el sopor hacía todo más lento. El viejo parqueó la moto frente a un bar, le dijo al chico que esperara y entró. A través del opaco cristal de la ventana el chico vio al viejo discutir con un sujeto alto. El sujeto sacó un cuchillo y el chico saltó de la moto, agarró una piedra e irrumpió en el bar. El viejo estaba de espaldas y enfrente aquel sujeto, más alto y fuerte de lo previsto. El viejo tenía el brazo extendido como si sostuviera un arma; el sujeto retrocedió hasta la barra, sus pies dejaron el suelo unos segundos para luego derrumbarse como si le hubiera atravesado la frente una bala. El viejo se dio vuelta y sin prisa caminó a la salida. Sus manos estaban vacías.

000

Berna y el bajista fueron las únicas personas en acompañar el féretro con los restos del viejo. Un grupo de pescadores había encontrado el cadáver en la madrugada cerca a un espolón. Tenía disparos en la pierna izquierda y a la altura de la ingle; estaba rodeado de jaibas y gaviotas que bebían su sangre. Por las huellas en la piel y las ropas se dedujo que lo habían matado en la carretera y luego arrastrado hasta allí. Los otros dos integrantes de la banda se habían quedado vigilando la bodega. Berna temía que al enterarse de la muerte del viejo los vagos quisieran saquearla. A partir de esa noche montó allí un fortín con sus amigos. Entre las cosas del viejo encontraron una lista de nombres, algunos estaban señalados con una X, y Berna supuso que eran los asesinos. Estaba decidido a aprender la técnica para vengarlo. Tres días después del sepelio se detuvo ante la bodega un automóvil con los vidrios blindados. Berna y el batería, que estaban en la entrada hablando con una chica, vieron bajar y acercarse a dos gorilas.

—Alguien quiere hablarte —dijo uno de los gorilas. Berna y el batería se miraron, la chica sonrió nerviosa—. Sabemos que eres Brandon, ustedes esperen aquí.

Fue escoltado por los gorilas hasta el auto. Adentro había un hombre elegante de mediana edad con un maletín sobre las piernas. El viejo había trabajado para él, sabía de su muerte y quería contratar los servicios del heredero.

—Dicen que sabes la técnica.

—Estoy en eso.

—¿Y Kung-Fu?

—Lo suficiente —dijo Berna sin apartar la vista del maletín—. ¿A quién debo eliminar?

El hombre soltó una risita aguda e hizo un gesto al chofer que encendió el auto.

—Si quisiera un asesino no vendría aquí —dijo tornándose hosco—. El viejo sabía cuidar a las personas y quiero que hagas eso por mí.

Berna salió del auto que partió en reversa y desapareció por la zona sur del muelle. Los gorilas tenían orden de esperarlo y llevarlo a casa de aquel hombre.

OV

La amante del hombre era una preciosa rubia que catorce meses atrás le había dado gemelos. La esposa vivía en Miami donde el hombre tenía negocios. Los viajes a Miami eran constantes y Berna debía cuidar a la amante y los gemelos. La seguridad y los celos se mezclaban en aquel trabajo. A la rubia, que había sido modelo, le estaba prohibido hablar con nadie en ausencia del hombre. Confinada en un lujoso apartamento su único contacto con el exterior era Berna. Él debía proveerla de todo lo necesario y llamar a un celular secreto en caso de emergencia. Sólo Berna y el hombre sabían de la existencia y el paradero de la rubia. Más que el prestigio del viejo, que lo había recomendado antes de morir, Berna se jugaba la vida. El hombre nunca estaba fuera más de dos días y pagaba bien. La rubia y Berna se comunicaban a través de walkie talkies; éste la vigilaba desde el apartamento vecino. Durante varios meses el trabajo marchó sin contratiempos y Berna empezó a soñar con un futuro de fábula. Un jueves en la noche recibió el mensaje del hombre; debía proteger a la rubia hasta el mediodía del sábado. Berna se trasladó al edificio el viernes en la mañana, alquiló películas de artes marciales, compró de comer y llamó a la rubia.

—¿Necesita algo, señora?

—Un milagro —dijo ella y colgó.

El sábado al atardecer Berna empezó a preocuparse. Aquel hombre solía ser puntual. Llamó a la rubia que no parecía tan preocupada como él. Esperó hasta las 9:00 para usar el celular secreto. No hubo respuesta. Insistió una y otra vez sin suerte. Para calmar los nervios se puso a ver el noticiero de las 10:00 y allí se enteró que el hombre había sido capturado en Miami por narcotráfico y pasaría el resto de su vida en una cárcel gringa de máxima seguridad. Llamó a la rubia.

—Ven de inmediato —dijo ella.

V0

Después de comunicarse con su familia la rubia decidió que era mejor quedarse en Ciudad Inmóvil por un tiempo. En su poder tenía dinero, tarjetas y documentos del amante. El resto de posesiones pasarían a poder de la esposa y si ella trataba de enfrentarla pondría en riesgo a sus hijos. El domingo en la mañana Berna entregó las llaves del apartamento y fue a despedirse de la rubia.

—Tú no vas a ninguna parte —dijo ella furiosa—. Aquí no conozco a nadie.

—Trabajo para su marido...

—¿Mi marido? —sobre una mesa había una botella de whisky a medias—. Ese hijueputa se pudrirá en la cárcel.

Estaban en la sala. Las luz entraba a chorros por las enormes ventanas con vista al mar.

—¿Está segura que no lo sueltan?

—Neyla. ¿Dónde está esa idiota? ¡Neyla!

Una anciana negra apareció.

—¿Se durmieron los niños? —la negra asintió—. Él es Brandon y vivirá con nosotros.

V00

Del cuarto de huéspedes Berna saltó a la alcoba matrimonial y al poco tiempo empezó a hacer fiestas diciendo a sus amigos que la rubia era su esposa y los gemelos sus hijos. Eran jóvenes y ansiosos, ambos venían de un pasado trágico, los unía además el gusto por la música y la yerba. La señal para Berna, que por fin la suerte le sonreía, fue encontrar a su hermana. Maya era el esperado *quinto elemento* de aquella curiosa familia. Pero lo bueno dura poco y las malas noticias no tardarían en llegar: el mafioso, a cambio de información, estaba por conseguir la libertad. Berna pensó que era una broma de sus amigos.

—¿Vas a creerle a los gringos? —tenía a un gemelo en cada pierna—. Son lo más sucio que hay. Le sacan lo que quieren y luego se la hunden más adentro.

La fiesta continuó su curso. Berna y su banda anunciaron que grabarían su primer CD. La rubia fumaba yerba y la anciana, a pesar de la ayuda de Maya, no daba abasto para el desorden.

V000

Un disparo atravesó la frente del batería, otro le rompió la rodilla al bajista y una ráfaga abatió a tres chicas. La gente trató de salir a sangre y fuego y hubo nuevos disparos y gritos. Maya, que estaba en la barra, fue empujada al piso por el barman que la protegió con su cuerpo. La sirena de una ambulancia se escuchó a lo lejos y ella escapó por la puerta de atrás. Correr de noche hacia ninguna parte parecía la historia de su vida. A lo lejos vio venir una sombra que corría hacia ella. Se detuvo y buscó dónde esconderse.

—Maya.

Era la voz de Berna. Se abrazaron.

—¿Qué sucedió?

—Creí que estabas muerto.

—Salí a comprar yerba y escuché disparos.

—No puedes ir allá; todos están muertos.

El motor de un auto los alertó.

—¡Corre!

Corrieron toda la noche al borde de las avenidas. En la madrugada llegaron a la terminal de autobuses y compraron tiquetes para el primero que salió. Catorce horas después estaban en una ciudad fría. Allí se les pierde el rastro. Nadie sabe qué pasó en esos años ni por qué regresaron a Ciudad Inmóvil. Alquilaron habitaciones en un viejo hotel y fingieron no conocerse. La ciudad donde el viejo y Berna se conocieron queda a 250 kilómetros de Ciudad Inmóvil. Sin embargo, a pesar de la distancia, las balas que segaron sus vidas eran del mismo calibre y ambos cadáveres fueron abandonados en la playa.

Sexta Parte

FLECHA VERDE EN PARÍS

1

Perdí una hora en la fila de *Non European* y media más tratando de encontrar la rampa donde estaría girando mi maleta. Había visto el Charles de Gaulle desde arriba y tuve la impresión que era tan grande como el centro histórico de Ciudad Inmóvil. A mi fragante camisa ya le faltaban tres botones porque buscando la maldita rampa le había pisado el rabo a un pekinés y su dueña, una francesa agria de mediana edad, me había zarandeado e insultado ante un grupo de divertidos coreanos y dos imperturbables guardias de seguridad. Salir de allí y encontrar un taxi me tomó una hora. Le pasé la hoja con las señas del hotel al taxista que gruñó algunas palabras en francés y otras en árabe. El taxímetro marcaba implacable.

Mientras espero a que aparezca el conserje para registrarme me pregunto por qué si soy blanco y no he dicho ni mu, la tipa que pule los muebles y un mesero que pasa con bebidas rumbo al ascensor, me miran con desprecio. ¿Cómo pueden saber que vengo de Ciudad Inmóvil? El conserje, alto y flaco como una vara de premio, aparece y le entrego el pasaporte. Consulta en su pantalla y pregunta en inglés mi nombre. Se lo digo y lo pronuncia y ríe. Río a mi vez sin ganas, sólo para hacerme el simpático y él corta la risa y se une al desprecio. La fachada del hotel es antigua pero dentro lo han reparado unas diez mil veces, del restaurante llega un desagradable olor a cebolla y queso rancio. Sigo al maletero, entramos al ascensor y me mira desde arriba (todavía no encuentro uno más bajo que yo) con sus ojitos grises apenas separados por la afilada nariz. La habitación es mínima: catre, mesa de noche, mueble con minibar adentro y encima un viejo televisor Loewe. Las puertas del clóset están desajustadas y en el baño no hay papel. La impresión de mazmorra se completa con una ventanita de barrotes a la que me asomo: franchutes de todas las edades pasan abajo, también árabes, latinos, una fila de coreanos con guía africana de paleta y cachucha. Es verano, el calor no da tregua y los barrotes de la ventanita huelen a óxido. Voy a lavarme la cara. No hay agua. Llamo a recepción y dicen que están en *eso*. El lenguaje de los hoteles en cualquier parte del mundo se basa en la ambigüedad. Entre más barato el hotel más ambiguo el lenguaje y yo estaba definitivamente en el sótano. Me tumbé en el catre y un gancho de la base atravesó el colchón, la camisa y se clavó en mi costado, justo en el lugar donde el romano hirió a Cristo. Aquella camisa me había costado una fortuna, había planeado usarla al llegar (por aquello de dar una buena impresión y evitar ser tratado como basura) y guardarla para mi encuentro con Maya. Me quité la camisa, el gancho la había rasgado y manchado de óxido y alrededor del óxido estaba mi sangre. Fui al baño para lavarme la herida. No hay agua. Marco nueve: *Estamos en eso*. Me limpio con saliva y meto la punta de una toalla en el inodoro para frotar la sangre y el óxido de la camisa. Resultado: una sustancia verde forma equipo con el óxido y la sangre y convierten mi elegante camisa a rayas en un trapo hawaiano. ¿De dónde carajos salió ese verde? Regreso al inodoro, allí está, acumulado en el fondo con quién sabe qué otros desechos radiactivos.

El agua llegó a las siete de la tarde, un chorrito ruin. Di varias manos de jabón a la camisa y la colgué cerca a la ventana. La mancha permaneció incólume. Antes había dado una vuelta por los alrededores y no era tan sencillo encontrar las calles como el mapa hacía pensar. Tenía el teléfono y la dirección de Maya, según el recepcionista estaba a media hora de caminata o diez minutos en taxi. En mi intento más osado me alejé dos cuadras y de repente me sentí perdido. Traté de abordar a algún traseúnte para preguntarle y el único que hizo caso fue un gringo tan perdido como yo. Fuimos juntos a una caseta de revista. El dueño, un sujeto joven y robusto, se llamaba Bastiaff y hablaba español. Cuando le dije de dónde venía salió de la caseta y me dio un abrazo. El gringo nos miraba atónito. Bastiaff me preguntó si éramos amigos.

—Lo acabo de encontrar —dije—. Parece que busca un restaurante.

El gringo le habló a Bastiaff y éste le contestó en español. *I don't understand* dijo el gringo. Bastiaff pasó al francés. *I don't understand* repitió el gringo y agregó impaciente: *Could you speak english?* ¿*Te parece que estamos en Disneylandia?* replicó Bastiaff en español. El gringo giró sobre sus talones y se alejó maldiciendo. Bastiaff pegó un aviso de *Regreso enseguida* en el vidrio de la caseta y me llevó al hotel en su gastada Guzzi California. Conversamos un rato en el lobby. Antes de despedirse me entregó una tarjeta con sus datos: *Dr. Bastiaff. Cronopio matriculado, ex heroinómano, amante profesional y escultor en vidri*o (la salsa, la marihuana y el escritor argentino Julio Cortázar también hacían parte de sus amores).

2

Al día siguiente me presenté temprano en la caseta. Bastiaff, que era un apasionado del cómic, había traído dos ejemplares de Mawa y uno de Mizomba (la fecha de edición se remontaba a febrero del 68). Mizomba era una especie de Tarzán rubio y Mawa su copia femenina de ojos verdes y cabello oscuro. Sus aventuras transcurrían en el Mato Grosso. Los textos y los dibujos eran inquietantes, en la atmósfera siempre flotaba una tensión erótica. Mientras atendía el negocio Bastiaff habló de sus viajes a Sudamérica, entre esos un par de inolvidables días en Ciudad Inmóvil (con mulata y cocaína a bordo). En la conversación del lobby ya le había contado algo de Maya y mi plan de llegarle por sorpresa. Él se ofreció a llevarme; tenía una idea más o menos clara de la dirección pero debíamos esperar a que un amigo suyo le cuidara el negocio.

Pipa, el amigo de Bastiaff, era flaco y huesudo como la torre Eiffel. Me saludó con afecto. No hablaba español ni inglés. Bastiaff consultó el reloj y cruzó la calle para traer la moto. Se movía con pericia entre el tráfico e insultaba conductores a diestra y siniestra.

—Allí la palmó Morrison —dijo señalando el sucio balcón de un pequeño edificio—. Creyó que podía con la heroína.

—¿Queda lejos Père Lachaise?

—Bastante —dijo—. Si quieres darle un vistazo habla con Pipa; es el quinto Doors.

A su ecléctico acento Bastiaff unía un repertorio de palabras recogidas en los viajes. Había aprendido español en Barcelona y lo había *perfeccionado* en México, Ecuador, Cuba y Cartagena. Su actual novia, una pintora de Belgrano, también empezaba a dejar huellas. Lamarck se llamaba el barrio de Maya, su casa era la número 59 de la rue Sébastopol. Bastiaff me dejó en la entrada y prometió volver en 45 minutos. Al lado del timbre decía: Prof. C-H Quinet. Apoyé el dedo en el interruptor sin hundirlo, estaba temblando. Se veía que era una casa grande, el prado del jardín parecía sacado de una cancha de Wimbledon. Me pregunté qué pitos iba a decirle. En ese momento la puerta de la casa se abrió y un hombre alto, de lentes oscuros, se acercó hasta la reja. Oprimí el interruptor y hubo ladridos al fondo. El hombre hizo gesto de: *¿Por qué lo hundes, estúpido?* Iba a decirle que buscaba a Maya, pero él se adelantó.

—Tenemos una foto que no te hace justicia.

Su español y su gentileza eran tan perfectas como el prado. Abrió la reja y me hizo seguir. Un enorme siberiano nos salió al encuentro. Tenía el pelo brillante y movía el rabo en señal de amistad. Entramos a una sala regida por cortinas rojas y muebles antiguos; él fue hasta una mesita y trajo un portarretratos: bajo la puerta de la Inquisición estábamos Maya y yo sonrientes.

—No pensé que la conservaría —dije—. Nunca le gustó esa foto.

—Uno cambia de gustos —dijo acariciando al perro que me observaba con expresión de *Trágate esa, estúpido*. Devolvió el portarretratos a su lugar y me invitó a sentarme, pero enseguida cambió de opinión—. Estaremos mejor en el estudio.

Al estudio se llegaba por un pasillo colonial cuyas paredes albergaban hileras de libros; también el estudio y el baño de éste, donde entré a lavarme la cara y ordenar mis ideas, estaban colmados de libros. Claude-Henri se acomodó en una mecedora de mimbre y yo en el extremo del diván que el perro había dejado libre.

—¿Y Maya?

Mi pregunta flotó en el aire sin que ninguno de ellos la tomara en cuenta. Claude-Henri estaba armando un cigarrillo y el perro se lamía, indolente, las pelotas.

—Entiendo que no fumas —dijo sin mirarme. El cigarrillo le había quedado perfecto—. Es un vicio triste; fumé treinta años seguidos. ¿Sabes que Yannik Réaumur se mató para dejar de fumar?

—¿Podría avisarle a Maya?

—Imposible —dijo en tono festivo—. Se fue al Conservatoire des Arts et Métiers con un amiga. ¿Has leído a Yannik?

—¿Está jugando conmigo? —dije levantándome del diván. El perro alzó las orejas. Consulté el reloj—. Volveré esta noche.

Él se encogió de hombros y me guió a la salida. Bastiaff esperaba recostado en su moto. En cuanto dejamos atrás la casa le pregunté quién era Yannik Réaumur. Su respuesta fue automática: *Un hijo de puta.*

3

¿Qué pitos haces allí? Hay preguntas que uno no está dispuesto a responder; podría ensayar varios estilos de respuesta sin dar en el clavo y si diera justo en el clavo tampoco importaría. Lena no quiere una respuesta, su objetivo es hacer que esa pregunta me invada y se me pegue al cuerpo como el olor de alguien con quien acabas de traicionar a otro alguien. El olor es la verdadera traición y apenas te das una ducha la culpa baja. Lena quiere que mi culpa suba. No me perdona que esté en París a pesar que insistió en que viniera y me ayudó a empacar. Tenía que venir para que ella pudiera hacerme esa pregunta. Es la razón por la que estoy aquí pero eso no sería razonable. Lo razonable es que nos sintamos desgraciados. Sabe que el teléfono va a sonar hasta cierto límite (el límite que se impone a nuestras ansias, el límite que arranca los dientes al león y destruye el nido del águila) y sé que estará allá, leyendo a Balzac sin inmutarse. Antes de abrir el libro pudo haber dudado, ahora le pertenece por completo a Balzac. Quisiera decirle que la amo y ella lo hace imposible. *Dime que me amas* había dicho en el aeropuerto y me pareció ridículo. La sentí blanda, inusual, pensé que bromeaba. *No lo voy a repetir, sólo dilo.* El tercer llamado para entrar a la sala se escuchó por los altoparlantes y la dejé allí, suspendida entre la idea que tenía de ella y la patética mujer que exigía ser amada. Y no es que quisiera la verdad, le bas-

273

taba un *sí, te amo* institucional que quizá luego se llenaría del concepto *sí, te amo*. Pero mi mente es demasiado simple para hacer semejantes abstracciones. Mi mente odia las mentiras inútiles y también las forzadas, aquellas que aspiran con el tiempo a convertirse en verdades. Ni siquiera cuando siento algo estoy seguro que deba decirlo; me parece que si lo digo, se irá. Mi confianza en las palabras es limitada, por eso escribo canciones y tengo aversión a los libros de historia. Dos o tres veces en la vida tenemos oportunidad de un instante de gracia. El primero lo tuve a los cinco años: mi padre estaba afeitándose, tenía la cara llena de espuma y de repente frotó la brocha en mi cara y la llenó de espuma; en el espejo nos miramos a los ojos y supe que éramos amigos y que al salir del baño no volveríamos a serlo. El segundo me lo acaba de robar Balzac y el tercero es aquel que llega con la muerte y sólo interesa al cadáver. Abajo espera Pipa para llevarme a Père Lachaise, no creo haya esta tarde un lugar más apropiado para mí. En Ciudad Inmóvil son las 8:15 a.m. Lena sigue leyendo mientras llega la hora de irse a dictar clases. Recojo el pasaporte y voy con Pipa. Es un sujeto agradable; habla en francés a sabiendas que no lo entiendo. Subimos a su Peugeot del 77 y vamos en busca del *Lizard King*. Bastiaff también le ha encargado mostrarme Montmartre, Montparnasse y otros que no recuerdo. Para Bastiaff lo mejor que tiene París son sus cementerios, quizá por eso tanta gente importante vino de otros lugares a hospedarse para siempre aquí. Si la llamara en este momento aún podría decirle que la amo y las palabras estarían tan llenas de ese concepto como el hígado de un pato que se alista para ser *pâté*. Son las 8:42, el concepto se ha ido.

Pipa aparcó cerca a la estación del metro Philippe August, del otro lado estaba el bar Le Celtic donde paramos a beber un whisky en honor a Jim. A 50 metros del bar está la Rue Pierre Bayle que lleva hasta el muro de Perè Lachaise y girando a la izquierda una pequeña puerta. Los guardias nos ofrecieron mapas que yo acepté y Pipa rechazó ofendido. En el *Hotel Morrison* había una veintena de escolares hablando en voz baja y bebiendo a escondidas de una botella de vino sin etiqueta. Uno saludó a Pipa y le ofreció la botella. Desde una tumba a la derecha un guardia alto y seco observa aburrido. Le hago señas a Pipa de que espere mientras doy una vuelta para visitar a Proust, Molière, Balzac... y todos los grandes hombres que aún después de muertos se quedan con las mujeres que pensaba mías.

Claude-Henri vino a buscarme al hotel. Íbamos a ver una película cubana y luego nos encontraríamos con Mademoiselle Duthé (su madre) y Maya en un restaurante a orillas del Sena. Sería el quinto intento, sin contar aquella primera visita, de verla. Había anotado cada intento en mi agenda (muy al estilo de Lena):

Intento A. Regresé, como le había anunciado a Claude-Henri, esa noche. Él salió en pijama y me invitó amablemente a largarme. Le advertí que si Maya no aparecía iba a armar un escándalo (Bastiaff me esperaba, habíamos bebido cerveza y vino blanco antes de llegar). Claude-Henri dijo que si no desaparecíamos en dos segundos haría una llamada. Lo desafié a hacerlo. Apenas entró en la casa Bastiaff encendió la moto.

Intento B. Claude-Henri me llamó temprano. Tenía un fuerte dolor de cabeza y olía (el agua seguía dando problemas) peor que un francés. Su voz en cambio era fragante. Con mi suerte él sería el único en París que se duchaba dos veces al día. Me dijo que Maya estaría alrededor de las dos en la entrada del Louvre y colgó. La novia de Bastiaff fue la encargada de llevarme, esperamos hasta las tres.

Intento C. Cita en un bar llamado Nova Express. Pipa me dejó a las seis de la tarde y me recogió a las nueve. Bebí suficiente té de menta para el resto de la vida. La buena noticia era que había conseguido un trabajo: le atendía el negocio a Bastiaff desde las 10:15 hasta el mediodía para que pudiera visitar y darle de comer a su hermano Bristoff.

Intento D. Llevaba una semana en París y ya sabía moverme por los alrededores del hotel y el sector de Champs Elysées. Había aprendido algunas palabras en francés, conocía 17 cementerios y tenía más amigos que en Ciudad Inmóvil: Bastiaff y su novia Virginia. Pipa y sus compinches Banz y Alan. Bristoff y sus compañeros de piso: Pelle (franco-australiano), Corina (siciliana), Lenoir y Justine. Claude-Henri y su perro Guga. A Maya no le había visto el fondillo. Esta vez me dejó esperando cerca al Lycée Voltaire.

Claude-Henri insistía en las buenas intenciones de Maya y los contratiempos que se le habían presentado. Su chofer era un apuesto argelino que no dejaba de sonreír y mirarme por el retrovisor. La película fue un ripio de melancolía revolucionaria y jineteras. Camino al restaurante Claude-Henri hizo un serio análisis de la situación cubana que fingí escuchar. Fidel Castro me parecía un policía de quinta y del resto sabía poco. Conseguir parqueadero fue una pesadilla y luego debimos cubrir más de un kilómetro a pie. Sabía que no iba a venir, que al igual que Lena me estaba llevando al límite. Sin embargo, Mademoiselle Duthé (una momia envuelta en celofán naranja) estaba en el bar esperándonos y dijo que Maya había reservado una mesa en el ala izquierda de la terraza. Cuando Claude-Henri le preguntó por Maya la momia miró hacia la barra.

—Elle était là il y a un instant[11].

Claude-Henri se fue, celular en mano, a un rincón. Por sus gestos intuí que estaban discutiendo. Fue entonces que caí en cuenta de lo que dice Morrison en *People are strange*: *Las mujeres son perversas cuando no te desean, las caras son feas cuando eres un extraño. Cuando eres un extraño nadie*

---

[11] *Hace un instante estaba allí.*

recuerda tu nombre. En Ciudad Inmóvil me habría bastado salir de allí y caminar hasta el malecón. Pero París era enorme y temía perderme; no me quedó más remedio que soportar la humillante mirada de la momia y la compasión de su hijo. Ella andaba por ahí, sentía su olor en el aire. Quizá me estaba observando desde las plantas que cercaban la terraza o el aviso de cocacola años cincuenta detrás de la barra.

5

Bristoff vivía en un edificio de Belleville. El edificio estaba en ruinas y la humedad calaba sus paredes. Bastiaff me contó que medio siglo atrás habían funcionado allí las oficinas de objetos perdidos del correo y luego una empresa de productos desechables. Bastiaff lo había descubierto cuando buscaba un nuevo albergue para Bristoff y sus amigos. No era el primer edificio de ese estilo que ocupaban ni sería el último. Para un observador distraído podría tratarse de un grupo de ancianos recibiendo la visita de sus hijos, en realidad ninguno de ellos llegaba a los 30. Las escuetas habitaciones conservaban su antiguo aspecto, incluso había restos de escritorios y archivadores entre los mugrientos catres. Bristoff y sus compañeros de infortunio ocupaban el segundo piso. En el primero vivía una pareja de moldavos, los otros pisos estaban vacíos. Oficialmente el edificio estaba en cuarentena y en cualquier momento vendrían a demolerlo. Sobre la fachada habían instalado una estructura metálica para prevenir derrumbes y un aviso en la parte de abajo prohibía el ingreso y sugería a los transeúntes el cambio de acera. Como los servicios estaban suspendidos Pipa y Bastiaff habían desarrollado un sistema para robarle agua y electricidad a los edificios vecinos. Me impresionaba el aspecto de Justine, su piel era tan delgada y transparente como la película que recubre las diferentes capas de una cebolla. Los otros no andaban mejor; todos ellos, en su momento, trataron de romper los duros bordes de la realidad para verla en estado puro. Al menos eso repetía Pelle mientras Roberta le daba cucharadas de una sopa oscura que apenas podía tragar. Roberta era hermana de Justine y la noche anterior se había quedado en mi habitación. Era pequeña y robusta. Sus enormes ojos marrones habían acumulado ternura suficiente para repartir entre todos los desgraciados de este mundo. Tenía la boca encrespada como un pez, un pez moreno que daba besos de tirabuzón. No habíamos logrado avanzar mucho por falta de un preservativo. Al principio fue incómodo, se suponía que estábamos allí para hacerlo. Luego ella empezó a contarme historias de México (donde había vivido hasta que los padres de Justine la adoptaron) y me olvidé del sexo. Pelle tiene dos pasiones (descontando la heroína): los autos en miniatura y las *Playmate*. Sabe de memoria cientos de nombres y ha hecho una escala de atributos físicos en las diferentes épocas de la revista. Bastiaff le pregunta por los mejores *pitones*. Su respuesta es automática:

—La Miss Novembre de 1963.

Ha dividido las tetas por forma y tamaño en una intrincada red de categorías y subcategorías que Bastiaff me traduce. Los traseros y chochos le interesan menos. En la categoría de tetas sus favoritas son las *berenjenas de estación* y pone en primer lugar a la *Playmate* de marzo del 62. Para Pelle en los setenta se desata el furor por los *balones*, en los ochenta aparecen los chochos como compañeros ideales y la oferta de tetas va desde *botones chanel* hasta *dirigibles*. Los noventa son aún más eclécticos y la historia de las tetas acaba cuando se instaura el imperio de la silicona. Para un coleccionista romántico, dice, el material plástico es inaceptable. Sobre las bondades y defectos de las tetas afirma que las gigantes son buenas para el cachondeo pero a menudo ciegas (pezón achatado) o con mapamundi (el círculo del pezón ocupa demasiado espacio). Las medianas resisten bien la gravedad pero pecan por tímidas (los pezones apuntan al piso o hacia los lados) y las pequeñas caben en la boca pero tienen el efecto tacón (pezones gruesos en relación con la base). Su teoría sobre Hugh Heffner es que pasó de visionario a mercachifle. Le resulta imperdonable que una revista que empezó su mito con Marilyn Monroe haya dado cabida en sus páginas a un esperpento como Latoya Jackson que, según Pelle, tiene 30 cirugías más que el hermano.

Justine escucha a todos con atención sin intervenir. Bastiaff le acaricia el cabello y le dice cosas al oído y luego Justine llama a Roberta y le habla al oído y Roberta sonríe y me observa mientras la escucha. Sé lo que se traen. Le confesé a Bastiaff que no podía seguir pagando el hotel y debía mudarme a un lugar más barato o regresar a Ciudad Inmóvil. Me ofreció hospedarme pero sabía que él y su novia tenían problemas de espacio. Bristoff me pide que le ayude con la jeringa, siento escalofríos cuando la aguja se hunde sin que él haga el mínimo gesto de dolor. Corina y Lenoir están jugando cartas. Ella es la mujer de Pelle y Lenoir el amante de ambos. Justine y Bristoff son inseparables desde la infancia. Bastiaff, Roberta y la madre de Lenoir les traen provisiones cada semana. Ellos sólo viven para el vicio y preferirían morir de hambre a invertir dinero en comida. Bastiaff sufre por Bristoff, se culpa por su adicción. Bristoff probó la heroína por secundar a Bastiaff pero no tuvo la fuerza de éste para dejarla. Lenoir siente curiosidad por Ciudad Inmóvil, quiere saber el precio de la heroína. Se decepciona cuando le digo que no es una droga muy popular allá, que en Ciudad Inmóvil se nace con pánico a las agujas. La despedida entre Bastiaff y Bristoff nos saca lágrimas a todos. Es un largo abrazo, son muchos besos y caricias. Bastiaff promete regresar pronto. Antes de salir echo una última ojeada a las cinco almas en sus catres y me cabrea la exactitud con que esa imagen encaja en la historia del edificio.

Roberta y Bastiaff estuvieron casados siete meses. Después del divorcio cada quien recogió sus cosas salvo la colección de cómics de ambos que quedó encomendada a Bastiaff. Roberta vivía con sus padres y un hermano a dos horas de París. Justine era la única hija biológica de aquel matrimonio; el hermano era un adolescente vietnamita. La casa estaba al final de un callejón sin salida. Era de dos plantas, con un precioso jardín donde primaban las dalias y los geranios. El padre trabajaba para un laboratorio gringo y la madre era una enfermera jubilada. Ambos me recibieron con una de esas sonrisas que hacen todo más fácil. Por culpa de un accidente en la autopista habíamos llegado tarde y tuvimos que almorzar en la cocina. Después de comer Roberta me mostró la casa. Los padres se habían ido y Van Khai estaba en clases de taekwondo. Me habían destinado la habitación de Justine: era amplia, con cama doble y baño interno. Tenía un afiche de Madonna y otro de Vincent Cassel en *Doberman*. Roberta se levantó la falda y se tumbó en la cama. Me bajé los pantalones y cuando iba a montarme Van Khai entró como una tromba sobre sus patines. Al agacharme para subirme los pantalones me enredé y rodé por el piso hasta quedar en una posición ridícula. Van Khai hizo una reverencia y salió sin prisa.

—¿Te quedarás allí?

—Me lastimé el tobillo —dije apretando los dientes—. No puedo levantarme.

Ella vino y me ayudó a llegar a la cama. Me quité los zapatos, el tobillo izquierdo estaba inflamado. Roberta trajo mentol y una venda. Puso una capa de mentol sobre el tobillo y lo masajeó con habilidad, después me forró el pie con la venda. Era enfermera como su madre; me confesó que su mayor sueño era irse de voluntaria al Medio Oriente. El efecto del masaje contra el dolor fue inmediato. Roberta salió por unos cómics y me aconsejó permanecer en cama. Mientras la esperaba me quedé dormido.

Despierto en una habitación llena de humo, una mujer baila enfrente mío. Usa una peluca rubia platino y ropa interior de cuero rojo. Los tacones de sus botas son interminables. Me doy cuenta que es un sueño pero no logro deshacerlo, entonces me dejo llevar. La mujer se desnuda conservando sólo las botas y luego me restriega su trasero en la cara, mi nariz se hunde en su vagina profunda que huele a orines. Chupo su vagina, lamo su sexo tinturado de rubio platino y ella gime bajito. Se baja de mi cara, me pone boca abajo y mete las manos por debajo de la camisa para acariciarme la espalda, enseguida me baja los pantalones y me acaricia el culo y luego lo lame, siento que su lengua entra y me doy vuelta. Su boca busca y encuentra mi órgano y lo chupa hasta hacerme eyacular dentro. Traga el buche de semen y se acuesta a mi lado y me acaricia el pelo hasta que duermo.

Despierto en la oscuridad y cojeando voy al baño. Deslizo la mano por la pared hasta encontrar el interruptor. Mi cara en el espejo tiene huellas de líquido vaginal, mi cuerpo está desnudo. Consulto el reloj: son las 4:15 a.m. He dormido doce horas. Me lavo la cara y sin apagar la luz espero el amanecer. A las 6:29 Roberta entra trayendo un café. Mientras lo bebo me revisa el tobillo.

—Está curado —dice.

Apoyo el pie y no siento el mínimo dolor. Observo que la inflamación ha desaparecido.

—Tienes manos mágicas —le digo—. Jamás había dormido tanto.

—En esta casa siempre se duerme —dice ella—. ¿Alguna pesadilla?

—Tuve un sueño absurdo con tu madre.

—Lo sé —dice ella.

7

Mi padre nunca se destacó por su ingenio pero tenía una frase que siempre recordaré: *La diferencia entre el sueño y la realidad es cuando alguien sale herido.* Nada mal para el oscuro operario de una fábrica de colchones. De las 72 horas que llevo en esta casa he dormido al menos 40 y repetido seis veces la misma pesadilla. El olor a trasero empieza a ser insoportable. Le digo a Roberta que quiero regresar a París, mi tiquete vencerá en unos días y si no regreso a Ciudad Inmóvil quedaré atrapado.

—Conseguirás empleo y podrás comprar otro.

—Mi visa expira en dos meses.

—Hablaré con papá, él sabe de estas cosas.

Estamos sentados en el jardín, el sol me calienta los huesos y tengo que esforzarme para no cerrar los ojos. Van Khai está a unos metros practicando golpes y su padre pule la hierba alrededor de las flores. La señora *Kruger* ha ido a la playa, su ausencia es un alivio. Me inquieta que estén tan a gusto conmigo. Y no es cortesía, se diría que encajo e incluso soy indispensable para el ambiente. De Justine no se habla más, la única que sigue conectada a ella es Roberta (quizá esperan que ocupe más que su cuarto). Si no tuviera esas pesadillas sentiría que he encontrado mi lugar en el mundo. Mi ansia por Maya ha decaído y Lena es un vago recuerdo. Desde

París le envié una postal a mi hermana, no sé si por mostrar mi afecto o enterar a mi cuñado de cuán *lejos* había llegado. Roberta le restaba importancia a mis pesadillas; otros huéspedes las habían tenido. Su padre se había sentado con nosotros y ella le traducía nuestro diálogo. Tenía manos de gigante y ojos azules de príncipe. Hablar de las cosas que hacía en sueños con su mujer me parecía de mal gusto, sin embargo se lo tomaba con humor.

—Dice que a él le toca la peor parte —tradujo Roberta—. Te propone cambiar tus sueños por su realidad.

Ambos rieron y Van Khai, sin dejar de lanzar patadas, los secundó. A Roberta no le había mencionado detalles como los restos de líquido vaginal en mi cara y uno que otro pelo rubio platino entre los dientes. Insistí en mi regreso a París y Roberta lo consultó con su padre. Van Khai había terminado su rutina y estaba siguiendo nuestra charla.

—Dice que ni hablar de eso —dijo Roberta muy seria. El padre me cogió una mano y la estrechó con la suya, me sentí como un niño. Su mano doblaba en tamaño a la mía—. Él se encargará de tu visa, tiene amigos influyentes en París.

—¿Por qué son buenos conmigo?

—Te queremos, ¿acaso no lo sabes?

—Lo sé y no lo entiendo.

—Pero así son estas cosas —Van Khai y su padre nos miran intrigados desde la frontera del idioma—. Ellos me trajeron de Jalisco y a él de Quang Tri, íbamos a tener una vida miserable y estamos aquí. Nos amaron antes de vernos, ¿qué tiene eso de raro? ¿Son diferentes en Ciudad Inmóvil?

Un repentino chubasco nos obliga a entrar. El padre va a la cocina a preparar de comer. Roberta y Van Khai se quedan en la sala viendo la tele. Recorro la casa, voy al segundo piso. Los patines de Van Khai están tirados en el pasillo. Los llevo a su cuarto, un afiche de Bruce Lee cubre la puerta.

Dentro es el mismo desorden de la primera vez. Sobre el estéreo hay un libro; por los garabatos deduzco que es una edición vietnamita. El dibujo en relieve de un dragón en llamas adorna la carátula. Bajo con el libro y me siento entre Roberta y Van Khai: no me sorprende escuchar que en español el título sería *Técnica del dedo pulgar*.

8

A Bastiaff no hizo falta darle explicaciones, es de esa rara especie que acepta las cosas como llegan y si puede darte una mano no se lo piensa dos veces. Virginia en cambio tenía preguntas. Roberta, por haber sido la mujer de Bastiaff, nunca sería su personaje favorito y quería saber cómo me había ahuyentado tan pronto. Para cerrar el tema mencioné asuntos pendientes en Ciudad Inmóvil.

—¿Y volvés por ella?

—Puede ser...

—Apuesto que no —dijo sonriendo. Saber que Roberta y yo no teníamos futuro compensaba su fastidio por haberlos despertado a esa hora—. Sé lo que es bancarse los tales *asuntos pendientes*.

Podría vivir mil años sin llegar a entender por qué había tanto veneno entre las chicas. Cierto que más hombres habían asesinado a hombres a lo largo de la historia. Inútil negar que las fieras se destrozaban unas a otras por la presa. Traicionar, intrigar y destruir no eran atributos exclusivos de las mujeres, seguro que los insectos y las marmotas tenían algo de eso. Pero entre mujeres la envidia llegaba al *top*. Jamás la complicidad y el cariño entre dos chicas sería comparable al de dos hombres. Por mucho que se amaran dos mujeres compartir un clóset les daría problemas. Demasiados vestidos y zapatos. Y si un hombre o un empleo les gustara al tiempo sentirían el mundo tan pequeño como dos cachamas en una pecera. Bastiaff sacó un sleeping bag y apartó los muebles para hacerme campo. Virginia había regresado a la cama. Conversamos un poco. Él salía temprano para la caseta pero llamaría a Pipa para que pasara por mí. Antes de apagar la luz levantó el pulgar para decirme que todo iría bien. Lo había conocido 19 días atrás y era mi mejor amigo en este mundo.

Dentro del sleeping bag me sentí a salvo. Había salido sin despedirme de Roberta y quizá no la volvería a ver. En la prisa de hacer la maleta olvidé mis tenis y una camiseta de Nirvana. Sabía que era una hora de camino hasta la estación y que el último tren pasaría en 47 minutos. Aunque el tobillo parecía sano me preocupaba tener una recaída. En el jardín me apreté los cordones y cuando sentí su voz casi me muero del susto. Su enorme mano levantó mi maleta. Se dirigió al garaje y no me quedó más remedio que seguirlo. Metió la maleta en el baúl y con señas me indicó que le ayudara a empujar el auto. Lo llevamos así un par de cuadras y luego subimos y salimos disparados. El reloj del auto señalaba las doce y media. Frente a nosotros había una luna redonda sin nubes ni estrellas. Estábamos sudando a chorros a pesar del aire acondicionado. Cuando entramos en la autopista comprendí que no me estaba llevando a la estación, que aquel hombre de 70 años, de rostro afable y manos de gigante, estaba huyendo conmigo.

—Où je te dépose?

—I don't understand —dije.

—Where are you going now?

Saqué la hoja con la dirección de Bastiaff y se la pasé. En el espejo su sonrisa era plena como la de alguien que, estando a un paso de la cámara de gas, recibe el perdón.

9

Me despertó la voz de Pipa. Abrí y fuimos a la cocina. Preparó omelette, café amargo y pan tostado. Para explicarme lo que íbamos a hacer tuvo que despertar a Virginia.

—El lío con Pipa, che, no es el idioma —dijo ella desde el baño—. Fíjate que hablo francés desde petisa y tampoco lo entiendo.

En un rincón de la cocina había una pila de cómics. Aproveché que Pipa fue a hablar con Virginia para curiosear. Había algunos en español, entre esos aquel en que Flecha se opone a la creación de un nuevo Salón de la Justicia por parte de Superman y Linterna no duda en darle la espalda para unirse al más fuerte. Roberta, que también era fanática de Flecha, me había hablado de otro donde éste salva a París de un complot neonazi. Según ella, en esa historia Flecha no recibe ayuda de Linterna ni de ningún otro superhéroe; salva a París él solo. Había olvidado preguntarle a Bastiaff por ese número; siempre he creído que sin Linterna al viejo Oliver Queen le iría mejor.

El plan de Pipa es visitar a un amigo que acaba de llegar de viaje y luego reunirnos con Banz y Alan. Me acompañarán a confirmar el tiquete y buscar a Maya. Virginia piensa que no debería humillarme tanto, que con las mujeres no funciona así.

—No quiero que funcione —replico con fastidio—. Vine a decirle dos palabras.

—¿Vos creés que soy zonza? Nadie viaja a París por dos palabras.

Se me vienen un montón de ideas a la cabeza y con ellas imágenes en un vertiginoso carrusel. Virginia tiene las manos en la cintura, es una cintura delgada la suya. Sus ojos son fríos como los de un tótem y nada que diga va a cambiarlos.

—Tienes razón, son tres palabras.

El amigo de Pipa está en Le Peletier. Vamos en metro hasta allí. Las paredes del metro están sucias y llenas de grafittis, huele a demonios (de esos que se duchan con saliva). Se llama Jules y Pipa dice que nos parecemos: es mediano, delgado y las hilachas de pelo amarillo se aprietan bajo el sombrero. Jules vivió siete años en China y tres en México. Es traductor y viajero incansable. Ha llegado a París después de cinco años porque su tía está muriendo, de hecho está sentado al borde de la cama sosteniéndole la mano entre las suyas. Pipa y yo esperamos de pie que la señora estire la pata. Afuera hay un grupo de parientes, dos enfermeras y un cura que acaba de salir. La última voluntad de la tía Abad, como le dicen todos, fue morir acompañada sólo por Jules (y Jules le impuso nuestra presencia). Un ligero temblor la sacude y los ojos giran hasta quedar en blanco. Jules se los cierra, le junta las manos en el vientre y antes de cubrirla le da una cachetada. Apenas saben la noticia en la sala se desata una fiesta, el cura es el más alegre de todos.

La tía Abad estaba por cumplir 96 y en su larga vida no ahorró esfuerzos para demostrar que era el ser más antipático, prejuiciado, inseguro y mezquino de París (donde sobran ese tipo de personas). Los millones heredados de su familia seguían intactos porque nunca se permitió, ni permitió a nadie, gastar más de lo estrictamente necesario. Su marido, tres hijos, nietos y sobrinos habían vivido en una limpia y elegante miseria: ropa usada de otros parientes, comida escasa en platos de lujo y vacaciones en las piscinas públicas. Jules se había largado a China y por estar lejos y no hacerla gastar un franco se convirtió en su favorito. No había venido por complacerla sino para darse el gusto de verla morir. Como la tía Abad odiaba a los extraños Jules aprovechó nuestra presencia para amargarle su salida del mundo. En el español de Jules, francés y chino hacían una mezcla explosiva: en vez de arrastrar las erres como los franceses, las convertía en eles y éstas a su vez en erres o a la inversa. Pipa estaba hablando con el cura y las enfermeras repartían vino y quesos para todos. Le pregunté a Jules si sabía algo de *Técnica del dedo pulgar.*

—¿El riblito de Bruce Lee? —asentí con una rara mezcla de emociones. Alguien que había estado siete años y conocía la lengua podía despejar mis dudas—. Es una reyenda. No lo esclibió él, son cosas que vienen de sigros atlás.

—Alguien la usó conmigo y lo que sentí fue tan real como que estamos aquí.

—Es posibre, en China hay muchas sectas que placticans la técnica.

—¿Y se puede matar a alguien de esa forma?

—Las altes marciares se usan en defensa plopia; matal al enemigo no equivale a vencerlo, todo lo contlalio. Los amelicanos conviltielon a Lee en un plodurto como el *ketchup* y derviltualon su legado. Pala los chinos él es difrelente.

—¿Quién mató a Bruce Lee?

—La velgüenza de tlabajal con Chuck Norris (je, je, je).

10

Banz va a parquear junto a la reja y en ese momento la puerta del garaje se abre y el auto de Claude-Henri asoma la nariz. Me bajo para esperarlos. Maya está a su lado y en el asiento de atrás Mademoiselle Duthé y una desconocida. Le hago señas a Claude-Henri para que se detenga pero pasan de largo sin mirarme. Le explico a Jules que le explique a Banz que siga a Claude-Henri. Iniciamos una persecución que nos lleva por calles estrechas para luego desembocar en la Rue Marcadet. En un semáforo Banz logra emparejar su auto al de Claude-Henri, hay una camioneta entre ambos. Desde la ventanilla los observo; Mademoiselle Duthé conversa con la desconocida, Claude-Henri espera tranquilo el cambio de luz y Maya mira hacia el otro lado. Tiene el pelo recogido y parece haber ganado algo de peso. Claude-Henri reinicia la marcha un segundo antes que Banz y gira a la derecha. Banz le cierra el paso a otros autos para poder seguirlo, las bocinas y los insultos se disparan. Pipa, Jules y Alan están atrás. Alan está en medio. Pipa y Jules discuten, Alan, que trabaja en una discoteca de Saint Germain, duerme como un tronco.

—¡Allá están! —digo apretando el brazo de Banz—. ¿Los ves? Delante del camión rojo.

—Oui, moi aussi je suis passé par ça[12].

_____

[12] *Sí, también he pasado por esto.*

—No hay duda que entrarán al túnel.

—C'est trop nul de te jouer un tour comme ça avec un vieux, surtout maintenant que tu es en cloque[13].

—No vayas a perderlos... ¡El maldito no entró en el túnel!

—Évidemment qu'il est de toi! Lui, il n'est plus bon à rien. Il serait bien incapable d'engrosser qui que ce soit![14]

Banz se traga el anzuelo y cuando cae en cuenta es demasiado tarde. Atravesamos el túnel y los vemos alejarse por la paralela. Jules le habla a Banz y luego me dice que debo estar tranquilo, él sabe a dónde se dirigen. Tomamos un retorno para después entrar a una carretera destapada. La vibración del auto despierta a Alan que le pide a Banz detenerse para orinar. Siento que la depresión me abate, Pipa le habla a Jules y éste me pasa el mensaje.

—Hace farta colaje pala esto; no te hundas ahola.

Veinte minutos después llegamos a Parc des Buttes Chaumont. Alan se queda en el auto y el resto seguimos a Jules. Como si tuviera radar va directamente a un lago, Mademoiselle Duthé está sentada sola en la hierba. Jules la aborda, cruzan unas palabras y luego ella se dirige a mí.

—C'est pas celle que tu crois —su tono es casi maternal—, tu fairais mieux de revenir[15].

Jules se quita el sombrero y se despide de la señora. Pipa y Banz agachan la cabeza y van detrás de Jules. Se alejan unos 20 metros. La señora mira al lago, en una barca están Maya, Claude-Henri y la desconocida. Maya ha engordado. Voy con Jules y los otros.

—¿Qué dijo?

---

[13] *Que te la jueguen con un viejo es la mierda y más estando preñada.*
[14] *Claro que es tuyo; ese carcamal no podría preñar a una coneja.*
[15] *Es mejor que te vayas; ella no es quien piensas.*

—Rejalas tlanquiras, elas no son; tu novlia rebe estal en otla palte.

—No es mi novia.

—Ya ro sé y es mejol sarir de aquí —enciende un cigarrillo, aspira y mientras habla suelta el humo que me entra en los ojos—. ¿Pol qué nos hiciste seguil a esta gente?

—La conozco, es Maya.

—Tar vez se palezca, pelo la señola Duthé rice que no es ella.

—¿Qué sabes tú de ella? Ustedes están locos, viajé a París para hablar con Maya y no me iré sin hacerlo.

—La señola está nelviosa —tira la colilla y la pisa, me aprieta el brazo—. Su nuela está encinta; ¿quieles dolmil en la cálcer? Son flías también en velano.

Miro, por encima del hombro de Jules, el lago. La barca se mece, desde la hierba Mademoiselle Duthé nos vigila; aprieto los puños, quisiera golpear a Jules hasta borrar sus rasgos tan parecidos a los míos.

—De acuerdo —digo—. Hazme sólo un favor: entrégale esto.

—Vous êtes de la merde.

—Es el diario de Maya.

—Ela no es Maya.

—Por favor...

Jules va y se lo entrega. En el auto, mientras regresamos, reina el silencio.

11

Así que todo el misterio era por una barriga. ¡Qué desilusión! La archienemiga de Foucault estaba a punto de convertirse en madre y ama de casa. Lena había hecho hoyo en uno: *Maya desea un hijo para tirarlo todo por la borda.* O, hilando más delgado, para tener *algo* que no tirar por la borda. ¿Y si era mío? El tamaño de la barriga cabía perfectamente en las cuentas. ¿Debía por arte de magia convertirme en padre y patalear frente a Claude-Henri? ¿De qué me serviría un hijo? Muchos hombres y mujeres los usan de comodín para exasperarse mutuamente. ¿Sería capaz de llegar tan bajo? No dudo que para una mujer concebir y parir sea una gran aventura. Su mente y su cuerpo no vuelven a ser los mismos y como entidad debe albergar, conflictos incluidos, a la mujer que era y la madre que es. El hombre asiste a esto más o menos espabilado, su afecto por el intruso que crece dentro de su mujer se deriva de ella. La mujer aguarda al hijo como algo extraordinario; la tensión y los sentimientos se mezclan con la sangre y los órganos. El hombre está impaciente, su actitud es la de un amigo que espera a otro para ir de fiesta. Obvio que hombre y mujer aman a su hijo, la diferencia es que ella empezó antes. Pensar que el hijo de Maya era mío no me hacía sentirlo *mío.* Si ella le pertenecía a Claude-Henri podía quedársela con todo y barriga.

Bastiaff me había regalado el número donde Flecha Verde salva a París (era una versión francesa). Mientras acomodaba ese, y otros regalos en el fondo de la maleta, descubrí un papel con el teléfono de Germán. *¿Lo necesitas, verdad?* La pregunta de Lena estaba al reverso, esta vez no sentí rabia sino alivio. Me había pasado la mañana tratando de encontrar alguien que me llevara al Charles de Gaulle: Bastiaff y Virginia habían llevado a Bristoff al hospital. Pipa y sus amigos estaban en la montaña. Jules en México y Roberta no quería saber nada de mí, me culpaba de que su padre estuviera en Tailandia. Mis alternativas fluctuaban entre arrastrarme con Claude-Henri o esperar que un taxista se apiadara y hasta un cretino como yo sabe que no hay taxistas piadosos en París. Germán estaba en casa, desocupado y alegre. La perspectiva de ayudar a un paisano lo puso todavía más alegre. Me irritó lo alto, apuesto y servicial que era. En el trayecto estuvo contándome las maravillas de su vida en París y lo hedionda e hipócrita que era Ciudad Inmóvil. Por primera vez desde mi llegada pensé en los olores. Aquel *latin lover* recién perfumado con la camisa casualmente abierta para que se le vieran los casuales pelos del pecho tenía razón: París olía mejor, la comida tenía nombres más raros, la gente fea era menos fea y la bonita más bonita, el verde del prado era inobjetable y las canciones de Joe Dassin lo máximo. Si eran o no hipócritas me tenía sin cuidado. Podía vivir con eso; Flecha Verde había pasado por ahí, los había salvado y ellos le ofrecieron el cielo y la tierra para retenerlo. Tampoco podía quejarme del trato recibido. Al final de la historieta hay un diálogo entre Flecha y una adolescente que se ha prendado de él. La chica le pide quedarse o llevarla. Bastiaff me había traducido esas palabras a modo de despedida: *Soy viejo para cambiar de hogar y tú joven para dejarlo.* Los superhéroes tienen siempre una excusa para defender su soledad. *París lo hace imposible* es la mía.

7 Torpes Band
Classic Taylor
©pierossi
Track 9
Extraños que se conocen mucho
Pava Records Inc.

(*EXTRAÑOS QUE SE CONOCEN MUCHO*)

0

Lucky tiene un sitio en internet: *www.lascriaturasde-pavarecords.com* La lista está integrada por Anna & Dino (dúo de tecnocumbia), Luisa Cascone (fusión-bolero), Sandra Lorenzato (baladista) y un servidor. El ingenioso Lucky tiene por norma dar a sus *criaturas* nombres italianos; está convencido que reactivar la *Nueva ola* lo llevará a la cima. Escuché cantar a Luisa (si logra entonarse y regresar 70 años en el tiempo quizá tenga éxito). Lejos del micrófono (donde deberían mantenerse) Anna y Luisa son médicos, Dino pretende ser campeón de Kick Boxing (de eso tiene voz) y Sandra vende folletos turísticos. Conservar mi nombre ha sido una lucha tremenda. Siendo su único rockero, Lucky pensó que me vendría bien algo más ambiguo, después de pensarlo 45 segundos me dio a escoger entre Totoi, Totumo o Tarktaro (vaya uno a saber qué entiende Lucky por ambiguo). Lo impresionante es que al sitio llegan mensajes y acabo de implantar el récord de siete posibles groupies (Luisa me sigue con cuatro). Entre los siete había un par de críticos: *Si pretendes imitar a Brian Adams deja de rebuznar* decía Cata69. El otro, un tal Zigzag, era más severo: *Ey, cretino; ¿cómo quieres que haya paz en el mundo si no dejas de hacer gárgaras?* De los cinco restantes, tres querían camisetas con mi nombre, una se ofrecía a fundar y dirigir mi club de fans (aceptando un salario modesto y el 3% sobre la venta de discos y souvenirs) y el último, firmado por Anastazia, sobrepasaba el límite de lo temerario: *Quiero ser la primera en acostarme contigo; haremos fotos y un video para cuando seas famoso sacarle el jugo. Vamos a 50%, y si bla, bla, bla...* En archivo adjunto venían detallados los posibles beneficios con su respectiva contabilidad y un poder (que me instaba a firmar) remitido por el abogado que cuidaría *nuestros* intereses. Me erizó el tono íntimo de los mensajes; aún los adversos parecían decir: *Sabemos quién eres.*

00

Pava debe tener 70 años, el trabajo en la gasolinera le ha curtido la piel y afilado la lengua. Su relación con Lucky es tensa. A él la gasolinera lo trae sin cuidado, es sólo un escampadero mientras alcanza la fama y la fortuna. *Pava* le recuerda que gracias a la gasolinera no mueren de hambre. A menudo discuten: uno y otro están de acuerdo en que merecían algo mejor.

—Si fueras —dice Lucky pegando el pulgar al índice— *así* de sensible.

Pava imita su gesto:

—Si tuvieras *esto* de cerebro.

—Al menos soy famoso —dice Lucky.

—¿Por qué te siguen cuatro gatos?

La risa de *Pava* cabrea a Lucky, ella me guiña un ojo y se mete en la oficina. Lucky se sienta entre los tanques. El efecto del sol sobre el asfalto de la gasolinera es infernal; la figura de Lucky se distorsiona y parece flotar en el sopor como un alma que abandona el cuerpo. *¿Por qué te siguen cuatro gatos?* En el intrincado y descomunal laberinto de la fama no quedan sillas. Los hijos de la luz están en amplias salas rodeados de fotógrafos y periodistas. Los hijos de la sombra nacieron sin ojos y jamás sabrán dónde están, ni siquiera si estuvieron alguna vez en alguna parte. ¿Quién soy en ese laberinto? Hay cientos de categorías y subcategorías posibles. Para llegar a los fríos y solitarios corredores donde me encuentro he gastado buena parte de mi vida: 7 e-mails, 22 copias vendidas, 3 días figurando en una cutre emisora de Ciudad Inmóvil. ¿A qué infracategoría del laberinto pertenezco? Mi casilla está entre *sombras* y *sobras*. ¿En cuál meto a Lucky y su madre?

LABERINTO DE LA FAMA[16]				FICHA 4563721099
Categorías	Subcategorías X	Subcategorías Y	Anónimos	Infracategorías
Dioses	Dueños de medios	Invitados VIP	Sirvientas	
Mitos	Agentes	Invitados fila 3 a 5	Amas de casa	
Leyendas	Promotores	Invitados fila 6 a 9	Enfermos	
Celebridades	Asistentes	Invitados	Celadores	
Famosos	Groupies asesinos	Colados	Pensionados	Gente de realities
Destacados	Groupies XXL	Público en vivo	Tenderos	Galanes de TV
Conocidos	Groupies XL a S	Púb. relleno	Secretarias	Galanes Perú
Secundarios	Dir. club de fans	Púb. mediático	Cajeros de banco	Actrices Perú
Flor de un día	Fans superlativos	Púb. pasivo	Taxistas	Músicos tropicales
Extras	Fans de oficio	Púb. indefenso	Choferes de bus	Boxeadores
Aspirantes	Fans casuales	Púb. dormido		Abogados
Novios de aspirantes	Cazaautógrafos	Púb. del público[17]		Periodistas
Inflados	Chicas que gritan			Políticos
Reencauchados	Que se orinan			Periodistas deportivos
Fracasados	Que se…			Locutores
Ceros	Curiosos			Locutores deportivos
Ceros a la izquierda	Guardaespaldas			Cuenteros
Sombras	Bailarines			Poetas de café
Sobras	Bailarines multiusos			
	Novios de modelos			

Columnistas

[16] Esta es una ficha de ensayo; el verdadero laberinto demandaría años de trabajo e investigación. Describir cada elemento y las diferencias entre ellos. Por ejemplo la variedad de cazaautógrafos, desde los que esperan años por su ídolo hasta los que se hacen firmar la espalda del primer idiota que encuentran.

[17] En los conciertos los pequeños sólo ven espaldas y los muy pequeños, traseros.

000

La manía por las fichas es un recuerdo de Lena; fue ella quien inventó la máquina de sumar ceros. Los ceros a la izquierda ocupan la última fila con asientos en el laberinto de la fama. Las sombras y las sobras estamos de pie. Cuando el cero va seguido de otro cero más grande, negro y robusto, significa que entró en la categoría de Cero con guardaespaldas. Lo que determina el paso de sobra a sombra y de ésta a cero a la izquierda son los fans (probados en ventas y mensajes electrónicos). Los ceros con guardaespaldas son aquellos que pueden compensar en ventas las amenazas recibidas. Sin amenazas de muerte eres menos que nadie. Cierto que cualquiera puede entrar a internet y difundir elogios y amenazas sobre sí mismo; vender mil copias es un poco más difícil. Y en el implacable *laberinto de la fama* si no vendes dejas de existir. Pablo Escobar y Morrison mantienen su leyenda facturando. El año pasado la demanda por camisetas con la imagen o textos alusivos a Escobar superó, con justicia, a Alejandro Sanz.

0V

Las quinceañeras y amas de casa discuten acaloradamente sobre sus ídolos porque los sienten parte de sí. Para muchas de ellas es más extraño su propio padre que Brad Pitt. De hecho en su álbum de recuerdos el número de fotos de Pitt supera a cualquier otro miembro de la familia. No se trata de algo peligroso o enfermizo, es la forma como llenamos nuestras vidas vacías y la impotencia de comunicarles a los más cercanos nuestro salvaje amor. Amar a Brad Pitt no es una vergüenza en cambio una madre vieja y quejumbrosa... *C'est pas celle que tu crois*[18]. Mademoiselle Duthé había vivi-

---

[18] Ella no es quien piensas.

do lo suficiente para esa frase. Tenía razón, la vibrante Maya que el amor y la angustia conservaban intacta en mi memoria no existía más. La Maya de París era una extraña; así el bebé que esperaba fuera mío, mi vida no alcanzaría la suya. La industria de los sueños y los ídolos es la misma: cero olor, sabor, consistencia. La realidad apesta.

V0

El bar donde Taylor me presentó a F se llamaba Manhattan Transfer. Allí conocí a Lira y pocos días después fuimos a un motel. Durante los últimos años hemos ido a ese motel con cierta regularidad. Técnicamente traicioné a Maya y Lena con Lira o, si juzgamos por antigüedad, a Lira con ellas. Sin embargo, nunca toqué ese asunto con Lira (pensándolo bien Lira y yo jamás hablamos de nada). El motel está en la zona turística, no es el clásico antro para albergar parejas furtivas; funciona como hostal en temporada alta y en los meses flojos se rebusca con clientes como nosotros. Taylor también ha estado allí en la misma compañía. Lo supe por él (él no sabe de mí); me contó que en sucesivas visitas al bar volvió a encontrarse con la chica de aquella noche (fingí que me costaba recordar) y estaban enamorados. Me dolió y llamé a Lira para pedirle explicaciones (ella se limitó a recordarme que yo vivía con Maya). Al irse Maya le propuse a Lira dejar a Taylor, la respuesta fue mudarse a su apartamento. Durante mi estadía en París, Lena y Lira coincidieron en casa de F (se la presentó como la novia de Taylor). Lena estaba impresionada porque Lira escribe artículos de cine para una revista bilingüe; decía que era la viva imagen de Maya en su época de estudiante (Lira está por cumplir 21). Mis visitas a casa de Taylor no perturban a Lira, frente a él nos tratamos como extraños. En el motel la intimidad es exclusiva de los cuerpos; sigo sin saber quién es Lira.

Séptima Parte

DONDE DUERMEN LAS MOSCAS

1

New York lo hace imposible era el título de un poema de Rep que parecía hecho a mi medida. Antes de viajar a París lo había invitado para que leyera en el museo. En el volante de promoción estaba ese poema: *Uno es lo que odia ser, uno es lo que los otros dicen que es y uno no acepta ser. Uno quiere ser más inteligente que lo que dice, dar una idea mejor de uno de lo que sus ideas permiten, hacer luminosas y eficaces canciones en un idioma que le parezca superior. Hacer canciones más luminosas que su propia vida pero es su nada luminosa vida la que produce esas canciones. Uno quiere tener la misma seguridad en sí mismo que tiene George Clooney y para eso le aconsejan que sea uno mismo pero ser uno mismo no le da ninguna seguridad a uno. Uno quisiera convertirse en Clooney conservando la mente de uno porque de nada sirve ser Clooney con la mente de Clooney. Uno quiere hacer canciones en inglés que desplacen las de Moby y Eminem, uno quiere que los gringos lo amen y lo forren en dólares y lo inviten a una fiesta con Angelina Jolie y Linda Fiorentino. Uno está en un parque con otros como uno deseando ser distinto. New York se esfuma y Ciudad Inmóvil permanece, sus piedras resistieron los ataques de Francis Drake y las meadas de sus habitantes. No se mueve, muestra su indolencia bajo el calcinante sol. New York es distinta, algo sucedió siempre y uno no estuvo allí. El problema es que el mejor mundo posible es aquel donde uno es posible y New York lo hace imposible a uno. Clooney es posible donde se le antoja y uno sólo es posible en Ciudad Inmóvil pero eso no lo consuela a uno.* Recordé el poema mientras el avión despegaba y París se convertía lentamente en una mancha verde-ocre. Durante el viaje hice planes que luego fueron reemplazados por otros y éstos a su vez por otros... Las horas dentro de un avión son lentas: niños que gritan, ancianas que rezan a la más leve turbulencia, comida y jugos con sabor a plástico. El físico de las azafatas va de acuerdo con el destino del vuelo; cada vez que alguna se acercaba prefería cerrar los ojos.

Bajar del avión, sentir la humedad pegarse a la piel, abrirse paso entre las moscas y los ávidos maleteros con alma de esclavos son los inevitables primeros pasos de quien llega a Ciudad Inmóvil. Los avisos en las paredes y por el altoparlante insisten en no perder de vista el equipaje. Afuera la maraña de gente se apila y entre los parientes o empleados de hotel acechan los ladrones. Transo mi carrera y subo al destartalado taxi. La música suena a todo timbal, por fortuna el taxista es rockero. Achaco el sopor en que me hundo al insidioso clima y el cambio de hora. El mar desaparece y la miseria aflora desde la ventanilla. No llamé a Lena para avisarle pero sé que lo sabe y saber que lo sabe despoja de cualquier cursilería barata mi regreso. Admiro su frialdad, el estricto plano en que sitúa y prevé los acontecimientos. Nadie puede sorprender a Lena. La mente de Lena no tiene festivos ni vacaciones. Su criterio al elegir la ropa o la intensidad de una caricia es irreprochable. No sé qué bicho me pica: por una vez desearía que fuera una ignorante y sumisa ama de casa que está feliz de verme. Besarla hasta atravesar la medianoche, abrir sus gruesos muslos y desaparecer en ellos. Un desnivel en la carretera hace saltar el taxi; los tornillos vuelan, mi cabeza choca contra el techo y un hematoma borra y reemplaza el súbito ataque de melancolía. El taxista no acusa el golpe, tiene cabeza de puerco y en esa línea suda. Su cabeza va hacia atrás y adelante siguiendo la canción. La voz y lo que dice me son familiares, tarareo y escarbo en la memoria el nombre del cantante. Siento que escurre hasta la punta de mi lengua y se vara allí: *I'm someone who learnt to go slowly*. Sigo el ritmo con los dedos y... ¡Soy yo!

—¡Es mi canción!

El taxista baja el volumen.

—¿Qué dices?

—No lo bajes, súbelo —sonriente me complace—. ¡Uuuhhh, es mi maldita canción!

El taxista baja el volumen.

—¿Qué dijiste ahora?

—Súbelo, súbelo —medio cabriado gira el botón al máximo. La canción termina—. Ya puedes bajarlo.

El taxista baja el volumen y se detiene a un lado de la vía. Alrededor sólo hay basura y terreno descampado.

—¿Dijiste que lo baje?

—Eso dije.

—¿Tratas de joderme? Cada vez que lo subo quieres que lo baje y luego que lo suba. ¿Te crees el dueño del maldito taxi?

—Era mi canción, ¿entiendes? Mía.

—Quédate todas las canciones pero no me jodas.

—No has entendido, quien cantaba era yo.

—No, tú la seguías, quien cantaba era un puto gringo y este es mi maldito taxi donde nadie me dice qué hacer con el puto volumen.

—Te juro que soy ese *puto gringo*.

—Sal del carro —sus ojos de puerco brillan furiosos, en la mano sostiene un trozo de varilla—. ¿Me oíste, loco de mierda? ¡Sal del maldito carro!

Sin dar la espalda bajo y espero a que abra el baúl. Agarro la maleta cuidándome el flanco. Él regresa al taxi y cierra la puerta con violencia. Hasta sus dientes sudan. Cuento los billetes para pagarle y agarra otra vez la varilla. Al alejarme siento sus sollozos, se queda allí, en medio de la nada. Los taxis pasan pitando.

2

¿Qué hace sensible a un cabeza de puerco? ¿Cómo llegó mi canción al número nueve del hit parade local? ¿Por qué Lena había entregado el apartamento sin previo aviso? El portero no sabía su nueva dirección. Le pedí cuidarme la maleta mientras hacía unas llamadas. La primera fue a la radio en el papel de un oyente anónimo que quiere información sobre los nuevos éxitos. En la antigua casa de Lena nadie respondió. El de mi hermana estaba fuera de servicio (eran ya nueve meses, los mismos que llevaba sin saber de ella). El hijo de F me dijo que había ido a cine. Sólo quedaba el poeta.

—¿Escuchaste mi canción?

—¿Qué canción?

—...Ah, cierto, tú no tienes radio.

—Compré una nueva —dijo y me hizo entrar al cuarto. Junto a la cama había una grabadora Sony con lector de MP3. Sintonicé la emisora del taxi y le pedí llamar.

—No tienes *feeling* para el rockandroll.

—Así que la escuchaste...

—Y no me gustó.

—Ey, ¿recuerdas lo del museo? Si alguien te saluda o consigues novia es gracias a mí...

Murmura algo entre dientes y coge el teléfono. Al instante empieza a sonar. El sonido es aceptable, faltarían un par de violines y alargar la entrada. Él sigue al teléfono, montándosela al programador por la ausencia del blues en Ciudad Inmóvil. La canción termina. Voy a la sala y me tumbo en el piso, el cielo raso está cubierto de insectos. Cientos de minúsculos cadáveres y uno grande que cuelga el teléfono y viene a recriminarme por no haberle escrito las líneas prometidas desde París. Lo compenso con historias. La de Jules le gusta. También él tiene historias: si mi canción se convierte en el enemigo público número uno será culpa de un tal *Anfetaminas Joe*.

—¿*Anfetaminas* llegó al FM?

—¿Lo conoces? —ríe tan fuerte que le da un ataque de tos—. Mi sospecha era cierta; no eres tan bueno.

Los caminos del odio son inescrutables. El éxito, aunque fuera una pizca, era un antídoto para la amistad. Ni el más encarnizado rival sufría como los entrañables amigos los lances de tu buena fortuna. Era inadmisible para su bilis encontrarme en el número nueve; saber que alguien me había *empujado* lo sosegaba. La noticia hizo mella en mi ánimo. *Anfetaminas Joe* le quitaba lustre a ese nueve, la aguja empezó a descender hasta tocar tierra: *Don nadie* estaba en la ciudad. Su aguja llegó al tope. Sacó de la nevera fiambre y cerveza y me invitó al banquete. Su mandíbula trituró carne y huesos con la misma eficacia que mi alegría. Suspiré pensando en lo lejos que estaba Bastiaff.

3

En París vivía una eslava gorda llamada Desiree. Era dueña de varios restaurantes y uno estaba destinado a los inmigrantes y parisinos de baja calaña. Cada mañana preparaba, en gigantescas ollas de barro, crema de lentejas y sopa de coliflor. Desiree en persona servía. Podías comer hasta hartarte sin pagar. Entre los comensales abundaban los poetas y Desirée era la calíope bonachona que daba nombre a la colección *Cuadernos de Desiree*. Con Pipa y sus amigos almorcé un par de veces en aquel sitio: un galpón con estructura de metal y techo de lona bajo el que se apeñuscaban decenas de mesas. La primera edición de los cuadernos se había impreso en papel reciclado, al convertirse en culto fueron adquiridos por Denöel y hoy lucían sus cubiertas de lujo en las vitrinas de la Fnac. Para los autores, no obstante las sucesivas ediciones, la dieta de lentejas y coliflor siguió invariable. Tampoco mi fugaz paso por el número nueve me reportaría un centavo; por desgracia en Ciudad Inmóvil faltaban las Desiree y sobraban los poetas.

—¿Qué piensas hacer?

Una pregunta aguda. Sobre todo cuando estaba a punto de liberar mis dientes de una obstinada hilacha de pollo.

—Lo sabré cuando encuentre a Lena.

—Me refiero a esta noche.

Ser ingenuo a mi edad significa dos veces estúpido. ¿Cómo podía imaginar siquiera que a un insecto le preocuparía el futuro de otro? Lo digno habría sido recoger la maleta y salir de allí sin falsas cortesías; en vez de eso, supliqué con palabras de buena crianza, la piedad de unas horas. El insecto largo miró al mediano desconfiado y le advirtió que no consentiría un minuto de retraso. Liberé mis dientes y permanecí en la silla. Él se encerró en el cuarto a escuchar blues que hablaban de entregarlo todo a cambio de nada. Levanté la vista y conté insectos muertos incluyendo, obvio, al insecto poeta.

Amanecí en la misma posición, me dolía el cuello. Él seguía en su cuarto roncando. Miré el reloj: quedaba media hora del plazo convenido. Me bañé de prisa y cambié de calzoncillos. Salí en puntillas. Afuera era un caos de vendedores ambulantes y choferes iracundos. La impresión que aún tenía de estar en París se diluyó pronto en la bulla tropical. Claude-Henri aseguraba que los sudacas hacemos ruido para espantar la tristeza y los franceses silencio para cultivarla. Según él ambos intentos fracasan: ni los sudacas somos tan alegres como parece a simple vista ni los franceses lo tristes que quisieran. Crucé la calle y me refugié en una cafetería. Un tipo en la mesa de enfrente estaba leyendo el pasquín local. La primera plana tenía las masacres y secuestros habituales, en un ángulo de la parte baja estaba la foto de un taxi abandonado en un terreno baldío y sobre ésta el titular: *Abandona taxi y se suicida.*

4

La observé a través de la ventana. Iba de un lado a otro del aula y las cabezas de sus estudiantes se movían en ese sentido. Al notar mi presencia me hizo un gesto con la mano y continuó la clase. ¿Había algo mejor para mí? En carácter le sacaba ventaja a Maya y ésta le ganaba en trasero. También en tetas la campeona era Maya. Claro que las tetas de Maya enfrentaban la amenaza de un hijo y si tenía mis genes peor; mi madre me reclamó cuanto pudo por el estado en que dejé sus tetas. Las de Lena siendo pequeñas resistían mejor la gravedad y los probables vampiros. Esperé en la sala de profesores y luego fuimos al campus. Los colegios caros, aun en Ciudad Inmóvil, tienen un pasto como Mont Parnasse: la sed que padecen los tugurios sirve para regar estos jardines. Traté de besarla.

—A final de semestre voy a Bogotá.

—¿Te dieron la beca? —negó con la cabeza. La abracé—. Iré contigo.

—La guitarra está con F.

Estuve a punto de preguntar por mis otras cosas pero recordé que la guitarra era *todas* mis otras cosas. Lena me pasó una tarjeta de *Anfetaminas Joe*. Había una nota al reverso: *Cuando asomes el pico, llámame. Un productor serio quiere hablarte de negocios.*

—Insistió en que era urgente.

—¿Qué vamos a hacer?

—Ya respondí eso.

—Dije: ¿Qué *vamos* a hacer?

—Dejamos de ser *vamos* hace 22 días... —consultó el reloj— ...nueve horas y catorce minutos. Estoy en mi área de trabajo por lo que pido evitar escenas. Me acosté con tu amigo el poeta y nueve tipos más en este tiempo. Supongo que tus cifras superan las mías.

—¿Con el poeta?

—Ya respondí eso.

De repente el sol se convirtió en un hueco negro y la temperatura descendió a cinco grados bajo cero. Me castañeaban los dientes. Ella me abrazó hasta cortarme la respiración.

—Estás helado —dijo—. ¿Quieres saber dónde duermen las moscas?

—Sí, por favor.

Escuché su voz en otra dimensión y el calor regresó a mi cuerpo. Mi corazón latió contra el suyo, el suyo era más rápido y preciso. Agarrados de la mano fuimos hasta el portón y nunca más volví a verla.

5

Mi mamá corrió unos metros detrás del jeep, mis hermanitos venían tras ella y luego una nube de polvo se los tragó. Me vendaron los ojos y me pusieron boca abajo en el piso, dos hombres me pisaban la cabeza y las piernas. El viaje fue largo y cuando me sacaron estaba tiesa. Tuvieron que arrastrarme y me raspé la cara con las piedras porque no tenía fuerza para levantarla. Me tiraron en un lugar oscuro, me quitaron la venda y salieron cerrando con llave. Creo que la única oscuridad total debe ser la muerte, a las otras una se acostumbra y empieza a distinguir cosas: el cuarto donde me tenían era más largo que ancho, sin ventanas y con puerta de hierro. Al fondo había un inodoro. Me daban de comer una masa blanda de arroz con salsa de cebolla que arrojaban envuelta en hojas de periódico. Tenía que hacerlo con las manos y mientras comía lloraba extrañando a mi familia. A veces escuchaba gritos del otro lado de la pared y me invadía el pánico; presentía que mi turno de gritar estaba cerca. Rezaba hasta quedarme sin aliento. En el piso había un colchón y una sábana que olía a muerto. Había descubierto otra cosa: un alambre atravesaba el cuarto. Si me paraba en la punta de los pies y alargaba las manos podía tocarlo. Parecía de esos que se usan para tender la ropa. Después de comer me limpiaba las manos en el alambre y quizá por eso llegaron las moscas. Las oía zumbar y acomodarse en el alambre para lamerlo y allí se quedaban dormidas. Dividí el día en dos partes; la tarde cuando llegaban las moscas y la mañana cuando se iban. Las comidas coincidían con la salida y entrada de las moscas. Ellas fueron la única compañía que tuve en esa eternidad oscura y las esperaba cada tarde. En el silencio el oído es capaz de distinguir entre la respiración de una araña que aguarda en el centro de su red y la de una mosca que avanza distraída hacia la trampa. Las moscas lamen, las arañas mastican. Las moscas no zumban para fastidiarnos, no quieren ser aplastadas. Zumban para defender su puesto en el alambre o planear el día siguiente. Cada mosca zumba en un tono diferente como las voces humanas. En el silencio hay un mundo peligroso y despiadado como el nuestro. No vivimos en el peor mundo sino en el más estúpido. La estupidez deriva de hablar antes de pensar, hablamos demasiado por miedo al silencio. El silencio es más ordenado y limpio que una monja. Los pensamientos fluyen uno tras otro como las perlas en un collar. El encierro ayuda a pensar y si hay moscas quieres saber de dónde vienen. Siguiendo su rutina encontré una grieta en la base del inodoro y al empujarlo noté que se movía ligeramente. Golpeé con los talones hasta destrozarlos. Para amortiguar el dolor los cubrí con pedazos de sábana y seguí golpeando hasta que sobrevino una invasión de cucarachas y tras ellas una mancha de luz que hirió mis ojos. Bajo el inodoro había una rejilla de alambre idéntico al que colgaba arriba. La cavidad se hundía un metro y luego doblaba hacia la luz. Las extensas jornadas royendo el alambre desgastaron mis dientes... Desprecio a quienes aceptan la conmiseración y por eso tengo fama de perversa; los que me conocen saben que sería incapaz de matar una mosca.

6

Un sofá que cambia de color y tamaño es mi lugar en el mundo. Soy lo que se dice un especialista; mi cuerpo se adapta al diseño y la textura más veloz que un perro. El de F es un viejo conocido que huele a vinagre. Estoy en un extremo y ella, con Love en las piernas, del otro. Aspiro a quedármelo esta noche. Los hijos están arriba escuchando música, el menor estudiará artes plásticas. Hemos vuelto al viejo tema de mis fracasos sentimentales y la baja intensidad del sexo heterosexual. Ambas aceptan que tienen amoríos ocasionales con hombres.

—Toda la vida los usé para echar polvos —asegura F—. Con las mujeres hago el amor.

Sigue perdiendo peso, es más delgada ahora que Love, lo que no pierde es la manía de hablar con frases hechas. Love protesta, pide que se respete la intimidad porque hay chicos arriba. París regresa al primer plano. Roberta, Virginia, Justine... quieren saber de mujeres. Son las 10:47 p.m. El límite de las visitas en un día ordinario (un bostezo de F anticipa el fin). Extraigo de la manga mi último as: *Cuadernos de Desiree*. Refiero una versión corta y dramática. La voz del hijo menor anula el efecto:

—¡Mami!

F se despide y sube, Love me recuerda estar temprano en el museo y me guía hasta la salida. Arrastro maleta y guitarra por el pasillo, el sonido de la llave girando me revuelve las tripas. Hay un niño moreno jugando frente al ascensor, tiene los ojos y la boca de Aisha. Le acaricio la cabeza y sonríe. El ascensor se abre, le digo adiós al niño con la mano. Las aceras de Ciudad Inmóvil escupen maldiciones, las bancas del parque están ocupadas, el hotel más barato es un lujo que no puedo darme. Mis amigos y las mujeres que dijeron amarme están en Plutón. Quedan *Anfetaminas Joe* y mi hermana. La radio de F anunció mi canción en el número trece. Estaba a dos escalones del cuarto frío. Pensé en el taxista suicida, el poeta amargado, Lena, Maya, el padre de Roberta. Mi paso parecía decisivo para todos menos para mí. La oscuridad me cercaba y no se había equivocado: mis pensamientos desfilaron en orden. ¿Cómo podía interpretar las señales? Pudor en el cabeza de puerco y lucidez en el poeta, Lena estaba en la sección de rebajas, Maya en importados y el padre de Roberta en alimentos perecederos. Deseché a *Anfetaminas* (no era elegante presentarme así ante mi *ángel custodio*) y marqué el teléfono de mi hermana. *Fuera de servicio* repitió la máquina de mierda. Imaginé la sonrisa de mi cuñado y sus pedos diciendo: *Te lo dije*. En la parada de autobuses, como un *déjà vu*, hay dos sujetos conversando. Me observan un instante y vuelven a lo suyo. No parecen preocupados, sólo hablan y esperan el autobús. Hablan de trabajo y mujeres, de lo malo que está el país y lo bueno que ellos son sacudiendo mujeres. Fuman, hacen bromas, se cuentan chismes. Subo y voy al fondo, *al fondo*.

Lucky, el productor, era un sujeto alto de cierta edad. Tenía la cara chupada y demasiado pellejo en el cuello. Parecía más astuto de lo que sus ojos grises y saltones daban a entender. Se había pintado el pelo de caoba y lo llevaba largo, con camino en medio y coleta como guardaespaldas de actor mexicano. *Anfetaminas* me advirtió tener cuidado, Lucky (por la fidelidad de su padre a esos cigarrillos) era en extremo susceptible sobre su apariencia, un halago podía enfurecerlo tanto o más que una burla. Años atrás le había cortado el brazo a un tipo por llamarlo *Pavo*; lo hizo con una sierra eléctrica que aún conservaba entre sus reliquias. Estábamos en el sótano de una vieja gasolinera (que él y su madre administraban), allí había improvisado la oficina y el estudio cuyo aviso de neón espabilaba al fondo: Pava Music (a su madre, que era la viva imagen del hijo, la apodaban Pava).

—Joe habla bellezas de ti —dijo Lucky con una sonrisa que dejó al descubierto la compleja estructura de los frenos que forraban sus dientes—. Soy hombre de pocas palabras... ¿Te gusta mi camisa? —asentí. Era una camisa de seda estampada con la cara de Elvis en blanco y negro—. *Debes* hacerlo en tu idioma.

Miré a *Anfetaminas*, él no me había mencionado esa parte. Parecía perplejo y supuse que iba a decir algo pero se limitó a carraspear. Lucky se entretuvo con los documentos que estaban sobre su escritorio. Recorrí con la vista las paredes manchadas de salitre, del techo caían millones de partículas de polvo cada vez que un camión llegaba a tanquear. Había escrito catorce canciones, todas en inglés. Una de esas, *Perfect crime*, logró estar en el número nueve y él, Lucky, el maldito cortabrazos cara de pavo, me exigía renunciar a ella y empezar de cero.

—Lucky tiene experiencia... —empezó *Anfetaminas*.

—Si quisiera hablar contigo no habría invitado al chico.

—¿Dijiste chico?

—Eso dije. ¿Quién te crees si no? Hasta que alguien lleve camisas de seda con tu estúpida cara te llamaré así... Es mi madre, voy a ver qué quiere y si cuando vuelva encuentro tu trasero daré por sentado que pertenece a Pava.

Anfetaminas me aprieta el brazo, sabe que cualquier palabra sobraría. Es como si hubiéramos hecho un largo viaje hasta un planeta sin nombre. La promesa de un tesoro era sólo un sebo para embarcarnos. La señora pava y su repelente crío discuten arriba. Ella en un tono básico, de corral. Él imitando a los duros de las películas. La señora pava afirma estar harta de ver músicos fracasados. El crío se queja por la resequedad que la gasolina causa a su piel. Ella replica que puede largarse cuando quiera y él dice que en cuanto tenga suficiente dinero mudará su estudio a Los Ángeles y no volverá a verlo. Ella ríe de ese modo hiriente en que sólo una madre puede hacerlo. La punta de sus texanas asoma en lo alto de la escalera. Mi trasero no se mueve.

8

El rock en español tiene algo patético. ¿Han escuchado *La pollera colorá* en inglés? Existe una versión, la hizo grabar por capricho un mafioso y podría prescribirse como purgante de caballos. Pasar de *Perfect crime* a *Crimen perfecto* puso patas arribas mi concepto de dignidad y me hizo entender que ésta no es inamovible, que si es necesario se encoge o se pone cuadrada. ¿Por qué un tipo le corta el brazo a otro por llamarlo Pavo y luego bautiza su mayor sueño Pava Records para honrar a su madre? Es curioso mirarlo desde fuera, sin embargo, hacemos eso todo el tiempo. Hemos aprendido a triturar la basura para transformarla en nuevos objetos, objetos brillantes que terminarán siendo basura. Lo que soñamos ser es el pedazo del rompecabezas que encaja con el sueño de otro. *Anfetaminas Joe* hace de segunda guitarra y su nieto es el batería. Lucky está en la consola y otra gente que no conozco entra y sale del estudio y cada uno tiene su pedazo. Aprovecho una pausa para llamar a mi hermana. Lucky me ha dado dinero y quiero almorzar con ella y mis sobrinas. Me pregunta si puede traer a su novio y que si es verdad que me agrada o es sólo por complacerla.

—En serio, me cae bien —digo y cuelgo.

Y aunque no fuera así me esforzaría, ella ha dicho que éste sí es el hombre de sus sueños. Y es el hombre de mis sueños para mi hermana porque gracias a él ella echó al marido (aunque ahora exponga otras razones, entre ésas mi canción). Dudo que mi anterior cuñado sea el sueño de alguien, ni siquiera sus hijas lo extrañan. O bien podría ser el sueño de un zoólogo[19]. No sé si el tamaño de los sueños influye en la felicidad, si las emociones de quienes logran tener el mundo en las manos superan las del empleado del mes en una heladería. Lucky era un malnacido megalómano y por eso me daba trato de *rockstar*, lo hacía para sentirse Quincy Jones. Quizá se pudriría en la gasolinera, pero nadie podría negar que había inventado un sueño e involucrado en él las piezas que necesitaba de otros.

—Hago lo mejor que puedo.

—No es suficiente —dice él—. ¿Crees que están esperando por ti?

Sus tacones golpean el piso de madera. Estar ahí gritando al equipo y exigiéndole a su *estrella* lo pone a mil. No necesita ir a ningún lado, ya es Quincy Jones. Si el sueño de alguien es ser empleado del mes en una heladería y lo logra sentirá que tiene el mundo en las manos. Para mí es una mierda grabar con Lucky y no con Quincy Jones; la gente lista aprende rápido a olvidar los grandes sueños para cumplir los de su medida (los cretinos empleamos media vida tratando de ser alguien y la otra media explicando por qué nunca quisimos ser *alguien*). *Un avispado sin suerte, la inteligencia correcta en el oficio incorrecto* decía mi madre cuando mi padre se quejaba por no tener el empleo que merecía. Una vez vi a Quincy Jones en la tele y era un enanito negro. Prince también es bajito. ¿Cuál será la estatura típica de un empleado del mes?

---

[19] Interesado en el origen de los gorilas.

9

Me da vergüenza mi utilitaria relación con Dios y las cosas que le he pedido a través de los años. Tonterías como hacer un dúo con Iggy Pop (estuve practicando *I wanna be your dog*) o que muriera mi cuñado y mi hermana encontrara un hombre gentil (no hubo necesidad de matarlo). También le pedí una canción de efecto devastador y... mi hermana dejó a *Hulk,* Lena se va a Bogotá, al poeta lo consume la envidia y un cabeza de puerco se suicida (¡y sólo alcancé el número nueve!): Señor, con todo el respeto, creo que fuiste muy literal; con *efecto devastador* me refería estar en el número tres de las Listas Americanas. Me retracto de esta súplica (sin desconocer que lo de mi hermana estuvo perfecto) y te ruego que de aquí en adelante mis canciones tengan lo que se merecen.

—¿Rezas?

—No... Bueno, sí. Más bien conversaba.

Me levanto y me sacudo el polvo de las rodillas.

—Alquilamos *Cabo de miedo.*

El novio de mi hermana acaba de mudarse con nosotros y me alegro, es un buen tipo. Lo triste es que tendré que irme. Si no lo hago, antes que cante el gallo, ese buen tipo será mi peor enemigo. Ellos me piden esperar a que despeguen mis canciones (22 copias vendidas). Mi foto salió en el periódico y un bar quiere contratarme (mi dignidad sigue encogiendo), lo mejor está por llegar dice Lucky. (¿Y si lo mejor ya pasó?). Pava no está de acuerdo con su hijo, su pronóstico es más oscuro que el futuro del Medio Oriente; hemos hecho amistad y quiere que trabaje en la gasolinera (Love renunció al museo y estoy otra vez en el aire). ¿Por qué unos logran poner las manos encima de Winona Ryder y el resto nos quedamos pasmados? La respuesta, lo sé, es el lugar más frío y no hablo de un pueblito en Alaska. *Las regiones frías* es la memoria de lo que hemos fingido y pretendido dar por olvidado. El momento de nuestra vida en que para bien o para mal se decidió el resto de nuestra vida: de niño tuve un amigo, su casa estaba frente a la nuestra. Vivíamos en las afueras de Ciudad Inmóvil; eran unas cincuenta casas de ladrillo construidas alrededor de un playón donde los vecinos se reunían los sábados a beber cerveza. Teníamos la misma edad y estatura, odiábamos por igual las habichuelas y el cilantro. Éramos flacos como varas de bambú. La geografía nos daba los mejores puntos en la escuela. Sus padres no tenían auto y los míos tampoco. En la última navidad nos habían regalado bicicletas de la misma marca y modelo (la suya roja y la mía azul). La balanza no parecía inclinarse hacia ningún lado; en nuestros juegos creíamos ser dos gemelos fantásticos contra el perverso mundo y un sábado, ese mundo, llegó a pedirnos cuentas. Nuestros padres, que estaban bebiendo desde temprano y se habían aburrido de jugar dominó, no encontraron mejor forma de distraerse que obligarnos a dirimir fuerzas. Al principio parecía una broma, pero los ánimos entre adultos se caldean pronto y las apuestas de cada padre por su hijo no tardaron en llegar. Nos quitaron las franelas y mi padre trazó un círculo en la arena; perdería quien se dejara sacar del círculo. Las costillas sobresalían en nuestros pechos y las tímidas risas fueron sofocadas por el miedo. Los padres se desgañitaban nombrando diferencias que hasta ese día habíamos pasado por alto: mi cuello era más ancho (*He-*

cho para resistir embestidas). Sus pies eran más grandes (*Tanto que podría dormir parado*). Los gritos atrajeron la atención y en pocos minutos un círculo humano se formó al borde de la línea dibujada en la arena. Empezamos a girar uno en torno del otro sin atrevernos a dar el primer golpe. Los padres, azuzados por los mirones, nos agarraron de los hombros y empujaron al tiempo; nuestras cabezas chocaron y un hilillo de sangre empezó a bajar de su ceja. Mi nariz también sangraba. Jamás había visto a mi padre tan excitado, las venas de su frente sobresalían como serpientes bajo la piel. Mi amigo se limpió la sangre con el revés de la mano, agachó la cabeza, gritó como un sioux y arremetió contra mi estómago. Me agarré de sus brazos para mantenerme en el círculo. Con uñas y dientes trataba de doblegarme, logré meter el pie tras el suyo y caímos, él estaba arriba; la mitad de mi cuerpo había traspasado la línea. Sentí los gritos del barrio entero y mi fuerza oponiéndose a la suya y noté con creciente angustia que su fuerza me superaba. Mis codos rodaron en reversa perdiendo el pellejo y el dolor me nubló la mente.

BREAK ON THROUGH TO THE OTHER SIDE

Special thanks: *alla mia* Marta por su colaboración en *Classic Hero* y tantos otros aspectos de la novela y la vida que sería imposible enumerar; Carlos Jacquin (guitarrista de 7 Torpes Band) por su participación en las canciones *Oficio de vampiros* y *Extraños que se conocen mucho*; Ciro Díaz por la amistad que el silencio no logró vencer; Laura Elisa, Julia Andrea, Daniel y Ángel en Cartagena de Indias; Stefano Benni por la complicidad; Doña Elisa, Gina, Miguel, Julio, Viviana y Gustavo; Sergio Álvarez por su texto (que incluiré en el próximo *volume*) y su amistad insoslayable; Giacinta y Antonio por la paciencia y la generosidad; el equipo de Oliviero Tours en cuyas oficinas se realizó buena parte de este trabajo; Mara y Enrico siempre presentes en el afecto y el *mangiare*; Paolino por la rumba y el *calcetto*; Stefano y Matteo por la cofradía del póquer y la *schedina*; Tiziana, Luca, Beatrice, Ángela, Mattia, Lorenzo, Riccardo, Gabriele y *la bella* Lisa en Vicenza; *zio* Beni *e zia* Lucia *per le uova*, indispensables *nel mio cibo*; Ceci, Bárbara, Leonardo, Geri, Marin (*paga, per favore*) y Giuliano; Fazer Club Italia por el viaje a Dolomiti; Diego, Alfredo, Pin, Mario, Édgar y Fran (en el Parque San Diego), Toni, Hugo (*Café Cinema*), Daniel Samper O., Tico y Mariana, Melissa, Julián Arango, Marinaro, Lilibeth, Iliana, Martha y Harold, Víctor, Julio y Alfonso Múnera, Rómulo Bustos, Gustavo Gómez C., Mauricio Becerra, Juan Esteban, Juan Luis, Antonio y Margarita, Andrés Felipe, Guillermo y Fernando Linero, Caro Muñoz, Lucho y Mónica, Joe Broderick, Ángel Perea, Alonso Sánchez, Juan Manuel Roca, María Angélica P. y Emiliano, Jean Claude Bessudo, Federico D., Óscar, Miguel, Santiago y Esteban, Santiago Cruz, Maurice y *la Mona*, Cristina Peña, Winston, Gilberto (*Salsa Camará*), Charlie y todos los amigos del alma que son arte y parte de mis palabras y actos.

ÍNDICE

9 PRIMERA PARTE
NINFAS Y SIRVIENTAS

71 Classic Fatness
(Elodie's Blues)

79 SEGUNDA PARTE
MIEDO A LA MENTE

113 Classic Hero
(El animal más peligroso)

121 TERCERA PARTE
LA FORMA DEL VACÍO

177 Classic Woman
(Las chicas de Fantomas)

185 CUARTA PARTE
LA ARCHIENEMIGA DE FOUCAULT

215 Classic Death
(Lo que mató a Tom Jones)

225   Quinta Parte
¿QUÉ CARAJOS SON *LAS REGIONES FRÍAS*?

253   Classic Technic
(Mister Bruce Lee)

265   Sexta Parte
FLECHA VERDE EN PARÍS

299   Classic Taylor
(Extraños que se conocen mucho)

307   Séptima Parte
DONDE DUERMEN LAS MOSCAS

331   *BREAK ON THROUGH TO THE OTHER SIDE*